suhrkamp taschenbuch 408 1.60

95 p

10652885

2t

Ludwig Börne (Juda Löw Baruch), geboren am 6.5.1786 in Frankfurt a. M., gestorben am 12.2.1837, studierte zunächst Medizin, später Staatswissenschaften und wurde 1811 im Großherzogtum Frankfurt Polizeiaktuar. 1813 wurde er als Jude entlassen, erhielt aber ein Jahrgehalt. 1818 trat er zum Christentum über und nannte sich Ludwig Börne. Nach der Julirevolution zog er nach Paris.

»Den deutschen Literarhistorikern fiel und fällt es schwer, für Börne einen Platz zu finden. Denn was er geschrieben hat, vereint, was unvereinbar schien: Er war ein Feuilletonist und gleichwohl ein Praeceptor Germaniae. Er war ein Prediger mit Witz, ein Weltverbesserer mit Humor, ein Gerechtigkeitsapostel mit Ironie. Er war ein toleranter Fanatiker. Wie vor ihm nur jener, den er mehr geschätzt und bewundert hat als Goethe und Schiller, wie vor ihm nur Lessing, war auch Börne Journalist und Prophet in einem... Was immer Börne schrieb, es war Zeitkritik im Kampf um die Demokratie. Das gilt auch, versteht sich, für seine Auseinandersetzung mit der Literatur, mit dem Theater... Börne kritisierte und interpretierte die Literatur im Lichte aktueller gesellschaftlicher und politischer Erkenntnisse, er prüfte die Literatur auf ihre weltliche Nützlichkeit und ihre pädagogische Verwendbarkeit...«

So formuliert Marcel Reich-Ranicki in seinem einleitenden Essay Börnes Porträt und Börnes oft unterschätzte Bedeutung, um dann, in einem repräsentativen Querschnitt der literarkritischen Arbeit Ludwig Börnes, vor anderen jene Aufsätze folgen zu lassen, deren Themen für uns und heute noch von besonderem Interesse, ja von bisweilen verblüffender Aktualität sind.

Die Auswahl enthält Essays, Reden, Briefe, Tagebucheintragungen, Vorreden, Buchbesprechungen und Theaterkritiken, in denen – von Themen allgemeinerer Art abgesehen – u. a. Shakespeare, Goethe, Schiller, Kleist, E. T. A. Hoffmann, Jean Paul, Cooper, Grillparzer, Heine behandelt werden.

Ludwig Börne
Spiegelbild des Lebens

Aufsätze über Literatur

Ausgewählt und eingeleitet von
Marcel Reich-Ranicki

Suhrkamp

suhrkamp taschenbuch 408
Erste Auflage 1977
Die Texte von Ludwig Börne folgen der Ausgabe
seiner Werke
Ludwig Börne, »Sämtliche Schriften«.
Bde. 1–3 Düsseldorf 1964, Bde. 4 und 5 Darmstadt 1968
© für Einleitung und Nachbemerkung
Suhrkamp Verlag Frankfurt am Main 1977
Suhrkamp Taschenbuch Verlag
Alle Rechte vorbehalten, insbesondere das des
öffentlichen Vortrags, der Übertragung durch
Rundfunk oder Fernsehen und der Übersetzung,
auch einzelner Teile.
Satz: Otto Gutfreund & Sohn, Darmstadt.
Druck: Nomos Verlagsgesellschaft, Baden-Baden
Printed in Germany
Umschlag nach Entwürfen von Willy Fleckhaus
und Rolf Staudt

Inhalt

IV

Marcel Reich-Ranicki
Bruchstücke einer großen Rebellion
Über Ludwig Börnes Literaturkritik

Dachte einer an Deutschland in der Nacht und wurde um den Schlaf gebracht – dann war es nicht Heinrich Heine, der dies gedichtet hat, sondern Ludwig Börne, sein Verbündeter und Antipode, sein heimlicher, sein feindlicher Bruder.

Für Heine war die Poesie doch wichtiger als alles andere. Für Börne war die Freiheit kostbarer als alle Kunst. Heine war ein Dichter, den die Fragen der Gesellschaft und der Politik schmerzten und irritierten. Börne war ein Politiker, den die Möglichkeiten des Worts, der Sprache erregten und faszinierten. Wohin der Jude Heine kam, war der Geist der deutschen Literatur. Wohin der Jude Börne kam, war der Traum von deutscher Demokratie. Und beide wirkten sie als Ruhestörer, als Provokateure.

Juda Löw Baruch, der sich Ludwig Börne nannte, war ein Patriot, aber ohne Vaterland, ein Volkstribun, freilich ohne Volk, ein Politiker, doch ohne Amt. So war er auch ein Schriftsteller ohne Werke. In der Ankündigung der vierzehnbändigen Ausgabe seiner gesammelten Schriften sagte er zu Recht, wenn auch nicht ganz ohne Koketterie: »Ich habe keine Werke geschrieben, ich habe nur meine Feder versucht, auf diesem, auf jenem Papier; jetzt sollen die Blätter gesammelt, aufeinander gelegt werden, und der Buchbinder soll sie zu Büchern machen – das ist alles.«[1]

In der Tat hat Börne weder Dramen noch Epen oder Romane, weder philosophische noch wissenschaftliche Werke verfaßt. Aber alle seine Arbeiten – Feuilletons und Betrachtungen, Essays und Kritiken, Satiren und Reportagen, Glossen und Aphorismen – erweisen sich als Bestandteile eines einzigen, eines erstaunlich einheitlichen Werks: Es sind Bruchstücke einer großen Rebellion.

Den deutschen Literaturhistorikern fiel und fällt es schwer, für Börne einen Platz zu finden. Denn was er geschrieben hat, vereint, was unvereinbar schien: Er war ein Feuilletonist und gleichwohl ein Praeceptor Germaniae. Er war ein Prediger mit Witz, ein Weltverbesserer mit Humor, ein Gerechtigkeitsapostel mit Ironie. Er war ein toleranter Fanatiker. Wie vor ihm nur jener, den er mehr geschätzt und bewundert hat als Goethe und Schiller, wie vor ihm nur Lessing, war auch Börne Journalist und Prophet in einem.

Es gab ein Thema – berichtet Heine –, »das man nur zu berühren brauchte, um die wildesten und schmerzlichsten Gedanken, die in Börnes Seele lauerten, hervorzurufen: dieses Thema war Deutschland und der politische Zustand des deutschen Volkes.«[2] Ja, er war verliebt in Deutschland und die deutsche Kultur. Kaum ein deutscher Emigrant hat im Paris jener dreißiger Jahre so gelitten wie Börne. »Das Exil«, sagte er, »ist eine schreckliche Sache. Komme ich einst in den Himmel, ich werde mich gewiß auch dort unglücklich fühlen, unter den Engeln, die so schön singen... sie sprechen ja kein deutsch...«[3] Und käme ein Gott zu ihm und spräche: »Ich will dich in einen Franzosen umwandeln«, er, Börne, antwortete ihm: »Ich danke Herr Gott. Ich will ein Deutscher bleiben mit allen seinen Mängeln und Auswüchsen.«[4]

Diese Liebe zu Deutschland hat Börne niemals gehindert, den Deutschen die bittersten Wahrheiten zu sagen. Er schrieb: »Die so stolzen, herrischen Deutschen..., die auf die Juden mit solcher Verachtung herabblicken, haben noch und wollen kein Vaterland, haben noch und wollen keine Freiheit.«[5] Die Türken, die Spanier und die Juden seien der Freiheit viel näher als der Deutsche. Denn: »Sie sind Sklaven, sie werden einmal ihre Ketten brechen, und dann sind sie frei. Der Deutsche aber ist Bedienter, er könnte frei sein, aber er will es nicht...«[6] Börne zögerte nicht zu erklären, man müsse den Deutschen Tag und Nacht zurufen: »Ihr taugt nichts als Nation.«[7]

Natürlich bekam er bald zu hören, womit er rechnen mußte: Man erinnerte in der Öffentlichkeit, daß Börne ein Jude sei. Er antwortete: »Ja, weil ich als Knecht geboren, darum liebe ich die Freiheit mehr als ihr. Ja, weil ich die Sklaverei gelernt, darum verstehe ich die Freiheit besser als ihr. Ja, weil ich in keinem Vaterland geboren, darum wünsche ich ein Vaterland heißer als ihr, und weil mein Geburtsort nicht größer war als die Judengasse und hinter dem verschlossenen Tore das Ausland für mich begann, genügt mir auch die Stadt nicht mehr zum Vaterlande, nicht mehr ein Landgebiet, nicht mehr eine Provinz; nur das ganze große Vaterland genügt mir, soweit seine Sprache reicht.«[8]

Im Grunde faszinierte Börne nur eine einzige Epoche: die Gegenwart. Und ein einziges Ziel schwebte ihm vor: die Freiheit.

Sein Programm war so knapp wie einfach. In einem Brief des Achtzehnjährigen heißt es: »Unser Seyn ist das Produkt der gefesselten Freiheit.«[9] Die daraus gezogene Folgerung hat er 1823 in einem Artikel für ein Konversationslexikon formuliert: »Mit aller Theologen gütiger Erlaubnis, die Menschheit ist um der Menschen willen da. Den Individualitäten die möglichst größte Freiheit der Entwicklung zu verschaffen, ohne daß sie sich wechselseitig hindern – das ist die Bestimmung der bürgerlichen Gesellschaft.«[10]

Aber die Freiheit war für Börne nichts Positives, sondern nur »die Abwesenheit der Unfreiheit«[11]; die Freiheit war für ihn eigentlich keine Idee, »sondern nur die Möglichkeit, jede beliebige Idee zu fassen, zu verfolgen und festzuhalten«. Denn eine Idee – erklärte er – könne man »durch eine andere verdrängen, nur die Freiheit nicht«[12].

Bloß eine Möglichkeit sah er zur Verwirklichung der Postulate Kants und Lessings, nur einen Weg sah er zum gelobten Land der Freiheit: Das Wundermittel war die öffentliche Meinung, von ihr erwartete er alles. Die Ankündigung der von ihm 1818 in Frankfurt gegründeten und redigierten Zeitschrift »Die Wage« schloß er mit den hochherzig-optimistischen Worten: »Was die öffentliche Meinung *ernst* fordert, versagt ihr keiner; was ihr abgeschlagen worden, das hatte sie nur mit Glcichgültigkeit verlangt.«[13]

Verwerflich schien ihm lediglich *eine* Meinung, jene nämlich, die keine andere neben sich duldet. In seiner »Wage« – versprach er – »soll jede Ansicht, auch wenn ihr der Herausgeber nicht gewogen ist, dennoch willige Aufnahme finden; ja, sie soll sehr willkommen sein, weil am Widerspruch die Wahrheit erstarkt«[14].

Seine Zeitgenossen erinnerte er an jene Mauern von Jericho, die von Trompetenklängen gestürzt wurden. Der Bibeldeuter Börne belehrte die deutschen Leser: »Unter Trompete verstand die Heilige Schrift die Pressefreiheit. Vor ihr werden auch die Mauern der Tyrannei einstürzen.«[15] So kämpfte Börne nicht gegen Dämonen, sondern gegen Despoten. Zu welchem Thema er sich auch äußerte, immer ging es ihm um konkrete erzieherische Wirkung. Einfluß wollte er ausüben. Ob er den Lesern gefiel oder nicht, das kümmerte ihn, zumal in seinen spätere Jahren, wenig. Nicht amüsieren wollte er, sondern heilen. In den berühmten »Briefen aus Paris« konstatierte er knapp: »Ich bin kein Zuckerbäcker, ich bin ein Apotheker.«[16] Und in seiner letzten Schrift,

»Menzel der Franzosenfresser«, heißt es: »Ich wollte nie für einen Schreibkünstler gelten... Gedanken, Worte sind meine Werkzeuge, die ich nur schätze, solange ich sie brauche, und wegwerfe, sobald sie gebraucht.«[17]

Was immer Börne schrieb, es war Zeitkritik im Kampf um die Demokratie. Das gilt auch, versteht sich, für seine Auseinandersetzung mit der Literatur, mit dem Theater. Das Niveau der damaligen deutschen Kritik entsetzte ihn: »In Deutschland schreibt jeder, der die Hand zu nichts anderem gebraucht, und wer nicht schreiben kann, rezensiert.«[18] Börne kritisierte und interpretierte die Literatur im Lichte aktueller gesellschaftlicher und politischer Erkenntnisse, er prüfte die Literatur auf ihre weltliche Nützlichkeit und ihre pädagogische Verwendbarkeit.

Zehn Jahre lang war er Theaterkritiker, zehn Jahre lang rezensierte er regelmäßig und geduldig Frankfurter Premieren. Offenbar war das Frankfurter Schauspielhaus schon damals schlecht. »An Gewichten fehlte es mir nicht, aber ich hatte nichts zu wiegen«[19], klagte der Redakteur der »Wage«. So war Börne, der Volkstribun ohne Volk, auch noch ein Theaterkritiker ohne Theater. Gleichwohl hatte er für die dramatische Kunst eine besondere Schwäche, deren triftige Gründe er nie verheimlichen wollte. 1818, als er seine Rezensententätigkeit begann, schrieb er: »Das stehende Schauspiel eines Orts ist selten besser, nie schlechter als die Zuhörer darin, und so wird es die höflichste Art, einer lieben Bürgerschaft überall zu sagen, was an ihr sei, daß man über ihre Bühne spreche.«[20] Elf Jahre später resümierte er: »Ich sah im Schauspiele das Spiegelbild des Lebens... Ich schlug den Sack und meinte den Esel.«[21]

Nicht daß die Deutschen kein Theater hatten, beunruhigte und betrübte Börne – denn man könnte »ein sehr edles, ein sehr glückliches Volk sein ohne gutes Schauspiel« –, sondern daß sie damals, wie er glaubte, keines haben konnten: »Dieser Schmerz gab meinen Beurteilungen eine Leidenschaftlichkeit, die man mir zum Vorwurf gemacht, weil man sie mißverstanden.«[22]

Die Leidenschaftlichkeit, zu der sich schon der siebzehnjährige Student in einem Brief an seine mütterliche Freundin Henriette Herz enthusiastisch bekannt hat[23], machte ihn zu einer so außergewöhnlichen Figur in der deutschen Literatur jener Epoche. Aus seiner Leidenschaftlichkeit, aus seinem Temperament ergab sich Börnes hartnäckige Vorliebe für unbedingt klare, unmißverständliche und nachdrückliche Formulierungen: die Deutlichkeit war seine Passion.

»Wozu uns ein solches Schauspiel von der flachsten Flachheit, von dem fadesten Geschmacke?«[24] – urteilte er über ein Stück von Iffland. »Ich gestehe es offen, daß dieses Werk mir in der innersten Seele zuwider ist.«[25] Es ging, immerhin, um E.T.A. Hoffmanns »Kater Murr«. Und in den »Briefen aus Paris« schrieb Börne über den Zeitgenossen in Weimar: »Seit ich fühle, habe ich Goethe gehaßt, seit ich denke, weiß ich warum.«[26] Die Neigung zum vorsichtig umschreibenden Understatement kann man also Börne schwerlich vorwerfen. Er dachte nicht daran, die Bäume im Wald zu verstecken.

Die Leser haben Börnes Deutlichkeit geschätzt und seinen Mut, seine Unabhängigkeit bewundert. An Feinden freilich hat es ihm nicht gefehlt. Aber verächtlich ist der Kritiker, der keine Feinde hat. Wer sie fürchtet, der muß sich ein anderes Métier aussuchen. Doch scheinen auch Börnes Feinde geahnt zu haben, daß dieser Mann das Recht hatte, gegen Ende seines Lebens zu sagen: »Ich habe nie für meinen Ruhm, ich habe für meinen Glauben geschrieben.«[27] Und bisweilen sah sich Börne gezwungen zu erinnern, »daß die Kritik zwar manchmal verwundet, aber noch nie einen totgeschlagen[28].« In der Tat: Gern und oft beschuldigt man die Kritiker literarischer Morde. Doch sollte man sich hüten, für Mörder jene zu halten, zu deren Pflichten es gehört, Totenscheine auszustellen.

Die unmittelbare, die spontane und eben leidenschaftliche Reaktion auf künstlerische Phänomene war Börnes starke Seite. Aber zugleich war es auch seine Schwäche. Denn oft begnügte er sich mit der ersten, der nicht immer hinreichend kontrollierten Reaktion, bisweilen schoß er im polemischen Furor über das Ziel hinaus.

Ein philosophischer Kopf war Börne nicht. Das philosophische Denken und Wirken sei ihm, bemerkte er gelegentlich, vollkommen fremd.[29] So war ihm auch an einer Kunsttheorie nicht gelegen. Die wissenschaftliche Komponente, die der Literaturkritik nicht fehlen sollte, hat er häufig vernachlässigt, ein Gesetzgeber wollte er nie sein, wohl aber ein Richter, freilich ein Richter besonderer Art. Im Jahre 1877 schrieb Theodor Fontane: »Je länger man das kritische Metier treibt, je mehr überzeugt man sich davon, daß es mit den Prinzipien und einem Paragraphen-Codex nicht geht. Man muß sich auf seine unmittelbare Empfindung verlassen können.«[30] Damit hatte Fontane nur wiederholt, was sich schon ein halbes Jahrhundert früher bei Börne findet: »Wie ein Geschworener urteilte ich nach Gefühl und Gewissen, um die Gesetze bekümmerte ich mich, ja ich kannte sie gar nicht... Ich war ein Naturkritiker in dem Sinne, wie man einen Bauern..., der Gedichte machte, einen Naturdichter genannt hatte.«[31]

Als passionierter »Naturkritiker« widersetzte sich Börne der »Spaltung zwischen Idee und Wirklichkeit«, jener fatalen Kluft, deren Existenz er schon 1808, in einer seiner frühesten Arbeiten, beklagt hat.[32] Seine Vorbilder suchte er in der Antike: »Bei den Alten war das Leben von der Wissenschaft nicht getrennt, sie dachten ihr Leben und lebten ihre Gedanken.«[33]

Wie alle guten Kritiker, von Lessing bis heute, wollte Börne zwischen der Dichtung und dem Publikum vermitteln. Als er 1821 eine neue Zeitschrift plante, schrieb er an den Verleger Cotta: »Der Zweck des Blattes müßte sein, die Literatur mit dem Leben, d. h. die Ideen mit der wirklichen Welt zu verbinden.«[34] Nötig sei es, an die Bücher früherer Autoren den Maßstab der neuen Zeit zu legen. Wie wäre jetzt, fragte Börne, Lessings Dramaturgie, wie Rousseaus »Neue Héloise« zu beurteilen, wie der »Wilhelm Meister« und wie der »Titan«? »Man müßte diese Werke besprechen, als wären sie erst erschienen.«[35] Man solle sich doch damit abfinden – fügte Börne hinzu –, daß das Urteil der neuen Instanz von dem der alten vielleicht abweichen werde.

Eine solche Kritik, die den Wert der Werke der vorangegangenen Epochen »in der Münze unserer Zeit berechnet«[36], wurde von Börne nicht nur postuliert, sondern auch auf exemplarische Weise realisiert. Er mißtraute der überlieferten Deutung gerade der Meisterwerke der Weltliteratur.

Hamlet, wies Börne nach, sei »gar nicht so edel und liebenswürdig, wie er seinem Mädchen erscheint« und der König Claudius »lange nicht so nichtswürdig, wie ihn Hamlet lästert«[37]. Der König – das ist in Börnes Sicht ein Liebender, einer der sich von seinen Gefühlen zur Königin leiten läßt; die Liebe, nicht etwa Machtgier, treibe ihn zum Verbrechen. Den König interpretierte Börne als »Charakter ohne Geist« und Hamlet als »Geist ohne Charakter«[38].

Kann man dem Prinzen Hamlet den Charakter absprechen? Börnes Essay, der zu seinen kühnsten und originellsten gehört, ist nur aus der geschichtlichen und politischen Situation zu verstehen, in der er geschrieben wurde, und von der Schlußpointe her, auf die er konsequent zuläuft. Nichts wundere ihn mehr, sagt nämlich Börne im Fazit, als der Umstand, daß dieses Drama von einem Briten stamme, eigentlich hätte es, meint er, ein Deutscher verfassen müssen. Denn: »Ein Deutscher brauchte nur eine schöne, leserliche Hand dazu. Er schreibt sich ab, und Hamlet ist fertig.«[39]

Wäre also Hamlet das Bild des deutschen Intellektuellen? In der Tat ist der junge Dänenprinz ein Zögling und vielleicht auch, wie Börne behauptet, ein Opfer der deutschen Philosophie. Er hat ja in Wittenberg studiert. Und dort, auf der hohen Schule, habe man ihm offenbar nichts beigebracht, was für den Alltag nützlich wäre. Das einzige für das niedere Leben Brauchbare, das er aus Deutschland mitgebracht hat, sei seine Fechtkunst – und gerade die gereiche ihm zum Verderben.

Zwar werde die schwere deutsche Philosophie beim geistreichen Hamlet geschmeidig und graziös. Dies sei jedoch, meint Börne, noch schlimmer, denn sie »dringt in die feinsten Adern des Lebens und hemmt den Lauf des fröhlichen Blutes«[40]. Die Folgen seien verheerend: »Er kennt die Menschheit, die Menschen sind ihm fremd. Er ist zu sehr Philosoph, um zu lieben und zu hassen. ... Darum ist er ohne Teilnahme für seine Freunde und ohne Widerstand gegen seine Feinde.«[41] Hamlet sei ein redseliger und eitler, ein gänzlich unpraktischer und lebensuntüchtiger Mann geworden, ein »Feiertagsmensch«: »Das Leben ist ihm verhaßt, aber nicht wegen der Leiden, nein, wegen der Handlungen, die es auflegt.«[42]

So gesehen, ist Hamlet ein Porträt nicht des deutschen Intellektuellen schlechthin, sondern jenes Typs, der, Börne zufolge, die Verantwortung oder doch zumindest die Mitverantwortung für die gesellschaftlichen Zustände Ende der zwanziger Jahre des vorigen Jahrhunderts trägt. Hamlet, den das abstrakte Denken unfähig macht zur Tat, dem der zum Wolkenhimmel aufsteigende Dunst der deutschen Philosophie die deutsche Realität verstellt, wird zum Gegenbild von all dem, was Börne in der gegebenen politischen Situation für wünschenswert und nötig hält.

Als 1818 in Frankfurt der »Kaufmann von Venedig« aufgeführt wurde, deutete Börne auf ähnlich unvoreingenommene und überraschende Weise den Sinn des Stückes. Er warnte das Publikum, etwa zu meinen, »der große Dichter habe uns einen kleinen Judenspiegel für einen Batzen... zeigen wollen«[43]. Weder das Predigen noch das Lehren sei Shakespeares Sendung: »Wollte er aber ja einmal ein Schulmeister sein, so dachte er im ›Kaufmann von Venedig‹ gewiß eher daran, den Christen als den Juden eine Lehre zu geben.«[44] Mit wenigen Worten machte Börne deutlich (und dies war damals neu), daß die Figur des Wucherers Shylock widerspruchsvoll ist und sein sollte: »Den Geldteufel in Shylock verabscheuen wir, den geplagten Mann bedauern wir, aber den Rächer unmenschlicher Verfolgung lieben und bewundern wir.«[45]

Im selben Jahr 1818 spielt man in Frankfurt Schillers »Don Carlos«, allerdings in einer offenbar unter dem Einfluß der Zensur stark bearbeiteten Fassung. Was Börne als »ein schönes vergoldetes Lehrbuch über Seelenkunde und Staatskunst«[46] bezeichnet, will er aktuell verstanden wissen: Es sei an der Zeit, meint er, das Drama in seiner alten Form auf die Bühne zu bringen, »damit, was man am Morgen *vor* den Geschäften des Tages gedankenlos in der Zeitung liest: daß in Madrid die Inquisition sich wieder ausbreite, wirksamer am Abend im Schauspielhaus als Schreckbild in die Seele dränge und sie mit Abscheu erfüllte.«[47]

Ganz auf die Gegenwart wird auch Schillers »Wilhelm Tell« bezogen. Da Erziehung für Börne nichts anderes ist als »Erziehung zur Freiheit«, bietet ihm der »Wilhelm Tell« einen willkommenen Anlaß, den Zeitgenossen eine Lektion zu erteilen. Tell sei eine Figur, die mit dem Jahrhundert nichts zu tun habe, in dem das Stück spielt, wohl aber mit der Zeit, in der es entstanden ist. »Es tut mir leid, um den guten Tell, aber er ist ein großer Philister«[48]; er habe mehr von einem deutschen Kleinbürger als von einem schweizerischen Landmann. Gewiß, Mut könne man ihm nicht absprechen, nur sei es jener Mut, den das Bewußtsein körperlicher Kraft gibt: Tell sei »mutig mit dem Arm und furchtsam mit der Zunge«[49]. Sein wichtigster Charakterzug sei die Untertänigkeit.

Auch den Apfelschuß lehnt Börne als eine moralisch verwerfliche Tat ab. Ein Vater könne alles wagen um das Leben seines Kindes, doch nicht dieses Leben selbst. Börne zögert nicht, das menschliche Recht des Individuums höher zu stellen als den nationalen oder gesellschaftlichen Anspruch. Er verblüfft seine Zeitgenossen mit der knappen Erklärung: »Tell hätte nicht schießen dürfen, und wäre darüber aus der ganzen schweizerischen Freiheit nichts geworden.«[50]

Aber am Ende sagt Börne überraschend, der »Wilhelm Tell« sei eben doch eines der besten deutschen Schauspiele: »Es ist mit Kunstwerken wie mit Menschen: sie können bei den größten Fehlern liebenswürdig sein«[51], und man könne es nicht recht erklären, warum es so sei. Seine Kapitulation vor dem, was er trotz aller scharfsinnig dargelegten Mängel des Dramas als liebenswürdig empfindet, macht den Kritiker Börne liebenswürdig.

Wo er sich mit neuer ausländischer Literatur befaßt, tut es Börne immer mit dem Blick auf die deutsche Literatur seiner Zeit. 1825 bespricht er die Romane eines noch kaum bekannten amerikanischen Schriftstellers: James Fenimore Cooper. Dem enthusiastischen Aufsatz ist allerdings nicht viel über Coopers Prosa zu entnehmen; im Grunde benutzt Börne die Gelegenheit, um sich über den deutschen Roman zu verbreiten und die Ursache seiner Schwäche zu bezeichnen: »Weil wir unseren Lebenskreis nicht überschreiten, erfahren wir auch nicht, was sich innerhalb des Kreises begibt; denn man muß andere kennen lernen, sich selbst zu kennen.«[52] Wir haben »keine Volksgeselligkeit, keinen Markt des Lebens, keinen Herd des Vaterlandes, keinen Großhandel, keine Seefahrt, und wir haben – keine Freiheit zu sagen, was wir noch mehr nicht haben.« Woher also Romane? Börne antwortet mit einer bitteren, einer glanzvoll-prägnanten Formel: »Demut im Leben, Wehmut in Romanen.« Und: »Heimweh nach dem Himmel, weil fremd auf der Erde; Liebe zu Gott, aus Furcht vor Menschen.«[53]

Bisweilen wurde Börne vorgeworfen, er habe bedeutende zeitgenössische Schriftsteller verkannt. Das ist, alles in allem, eine Legende. Wenige Jahre nach Kleists Tod, als dieser noch kaum bekannt war, rühmte Börne das »Käthchen von Heilbronn« als einen »Edelstein, nicht unwert an der Krone des britischen Dichterkönigs zu glänzen.«[54]

Von den damals so modernen Schicksalstragödien wollte Börne – sehr zu Recht – nichts wissen und mußte also Grillparzers Erstling »Die Ahnfrau« ablehnen. Aber er war der erste, der das Talent des jungen Grillparzer erkannte und der nicht zögerte, den Anfänger einen »herrlichen und geistreichen Dichter«[55] zu nennen.

Gewiß, Börne hat den Zeitgenossen E.T.A. Hoffmann in zwei

Kritiken aus dem Jahre 1820 falsch eingeordnet und gänzlich unterschätzt. Mit den romantischen und auch den surrealen Elementen in Hoffmanns Prosa konnte sich Börne nicht abfinden, sie waren ihm zuwider. Er hielt an seinem, in einem ganz anderen Zusammenhang formulierten Grundsatz fest: »Je unfreier ein Volk ist, je romantischer wird seine Poesie.«[56] Aber noch da, wo er irrte, war Börne den Kritikern seiner Epoche hoch überlegen. Denn die Eigenart der Epik Hoffmanns vermochte er virtuos zu charakterisieren. Er bescheinigte dem Autor des »Kater Murr« die Fähigkeit, »die Geisterwelt aufzuschließen, zu verraten das Leben der leblosen Dinge, an den Tag zu bringen die verborgenen Fäden, womit der Mensch und der glückliche, ahndungslos gegängelt wird...«[57]

An den »Serapionsbrüdern« beanstandete Börne »eine abwärts gekehrte Romantik«. Der Leser finde »an der Besonnenheit des Dichters keine Brustwehr, die ihn vor dem Herabstürzen sichert, wenn ihm beim Anblick der tollen Welt unter seinen Füßen der Schwindel überfällt«[58]. Was hier von Börne als Vorwurf gemeint war, empfinden wir heute eher als Vorzug der Prosa Hoffmanns. Indes: Hat Börne Hoffmann wirklich ganz verkannt? So spöttisch der berühmte Verriß der »Serapionsbrüder« auch beginnt, so endet er doch mit einem zwar vorsichtigen Satz, der jedoch den Kern der Sache trifft und vermuten läßt, daß Börne die Größe Hoffmanns zumindest geahnt hat. Das Buch sei eine »Epoche des Wahnsinns« und ein lobenswertes Unternehmen, »wenn es lobenswert ist, den menschlichen Geist, der nachtwandelnd an allen Gefahren unbeschädigt vorübergeht, aufzuwecken, um ihn vor dem Abgrunde zu warnen, der zu seinen Füßen droht«[59].

Von all seinen schreibenden Zeitgenossen hat er Jean Paul am tiefsten verehrt, am innigsten geliebt. Jean Paul – heißt es 1820 in einem Brief Börnes an Jeanette Wohl –, »war mein Geheimer Rat, bei dem ich in jeder Not Verstand suchte und fand...«[60] In der Denkrede, die 1825 im Frankfurter Museum verlesen wurde, schrieb Börne: »Wir wollen trauern um ihn, den wir verloren, und um die andern, die ihn nicht verloren. Nicht allen hat er gelebt!... Er aber steht geduldig an der Pforte des zwanzigsten Jahrhunderts und wartet lächelnd, bis sein schleichend Volk ihm nachkomme.«[61] Jetzt, da das Werk Jean Pauls in allerlei Ausgaben verbreitet wird, da man in Deutschland fast von einer Jean-Paul-Renaissance sprechen kann, scheint Börnes Voraussage in

Erfüllung gegangen.

Die Rede auf Jean Paul erreicht ihren Höhepunkt in den Worten: »Er sang nicht in den Palästen der Großen, er scherzte nicht mit seiner Leier an den Tischen der Reichen. Er war der Dichter der Niedergebornen, er war der Sänger der Armen…«[62] Doch damit war nicht nur Jean Paul gemeint, sondern auch einer, der sehr wohl in den Palästen der Großen sang, der mit seiner Leier gern an den Tischen der Reichen scherzte, der weder ein Dichter der Niedergebornen noch ein Sänger der Armen war. Börnes Denkrede auf Jean Paul ist zugleich eine Rede gegen Goethe.

Der lebenslängliche Kampf Börnes gegen Goethe trägt bisweilen neurotische, wenn nicht hysterische Züge. So konsequent und radikal dieser Kampf auch war – in der Geschichte der Literatur ist er nichts Außergewöhnliches. Die verbissenen, haßerfüllten Konfrontationen wiederholen sich: Immer sind es Auseinandersetzungen von Zeitgenossen, die freilich verschiedenen Generationen angehören. Börne contra Goethe – das ist im Prinzip nichts anderes als, in unserem Jahrhundert, Brecht contra Thomas Mann. Börne nennt Goethe einen »zahmen, geduldigen, zahnlosen Genius«, einen Adler, »der sich unter der Dachtraufe eines Schneiders angenistet«[63], für ihn war er »der Dichter der Glücklichen«, der »Stabilitätsnarr«[64], der »Despotendiener«, ja »ein Krebsschaden am deutschen Körper«[65]. Schamlos habe Goethe »das Knechtische in der Natur des Menschen« verherrlicht: »Tyrannen hat schon mancher Dichter geschmeichelt, der Tyrannei noch keiner.«[66] In seinem Tagebuch von 1830 resümierte Börne seine Anklage in Tiraden von hohem Pathos, dessen Wirkung man sich noch heute nicht ganz entziehen kann: »Goethe hätte ein Herkules sein können, sein Vaterland von großem Unrate zu befreien; aber er holte sich bloß die goldenen Äpfel der Hesperiden, die er für sich behielt. Nie hat er ein armes Wörtchen für sein Volk gesprochen, er, der früher auf der Höhe seines Ruhms unantastbar, später im hohen Alter unverletzlich, hätte sagen dürfen, was kein anderer wagen durfte… Dir ward ein hoher Geist, hast du je die Niedrigkeit beschämt? Der Himmel gab dir eine Feuerzunge, hast du je das Recht verteidigt? Du hattest ein gutes Schwert, aber du warst nur immer dein eigner Wächter!«[67]

War Börne ganz im Unrecht? Mir will es scheinen, daß jedes seiner Worte gegen Goethe berechtigt und trotzdem ungerecht war. Denn er sah nur die eine Seite Goethes und ignorierte hartnäckig die andere. Aber Einseitigkeit und Ungerechtigkeit gehören nun einmal zum Handwerk des Pamphletisten. Ganz spät, als Goethe nicht mehr lebte und Börne schon schwer krank war, hat er in einem Gespräch dem Feind doch noch Gerechtigkeit widerfahren lassen. Er erkannte, daß Goethe »das größte künstlerische Genie und der größte Egoist seines Jahrhunderts war«. Und Börne fügte hinzu: »Ohne dieses zu sein, hätte er jenes wohl nicht sein können.«[68]

Die Attacken gegen Goethe haben es manchen Gegnern Börnes leicht gemacht, ihm vorzuwerfen, was man paradoxerweise gerade Kritikern oft und gern vorwirft. Er, Börne, habe nicht hinreichend Sinn für die formalen und sprachlichen, für die artistischen Valeurs im literarischen Werk gehabt. Aber dies ist ebenso unsinnig wie es etwa die Behauptung wäre, Brecht sei nicht imstande gewesen, die Qualität des Prosa Thomas Manns zu begreifen. Allerdings hatte Börne selber derartige billige Verunglimpfungen begünstigt. Schon am Anfang seiner Laufbahn schrieb er: »Schön ist nur das, was nützlich ist für alle.«[69] Die bewußt überspitzte Formel wurde in polemischer Absicht für bare Münze genommen. Am weitesten ging Heine, der Börne kurzerhand nachsagte: »Die künstlerische Form hielt er für Gemütlosigkeit.«[70] So kam er in den Ruf, ein Verfechter simpler Tendenzliteratur zu sein.

Es ist schon wahr: Für die Beurteilung von Kunstwerken suchte Börne Bezugspunkte oft außerhalb der Kunst. So gewiß er die Synthese aus moralischen, gesellschaftlichen und auch ästhetischen Postulaten anstrebte, so wurden diese von ihm bisweilen doch stiefmütterlich behandelt. Er reagierte damit auf die noch in den zwanziger Jahren des vorigen Jahrhunderts sowohl in der literarischen Praxis wie in der Theorie dominierenden und seiner Ansicht nach schädlichen Strömungen.

»Aber den Kunstkennern, den Kunstrichtern, diesen gottlosen Chinesen«, wetterte er, »gilt nur die Form. Sie haben Geister und Körper in Stände und Kasten gebracht, und der Kasten gibt seinem Inhalte den Wert und bezeichnet ihn.«[71] Dies, meinte er, hätten die Klassiker mitverschuldet: »Schiller und Goethe sprechen so oft von dem *Wie* und *Warum*, daß sie das *Was* darüber vergessen.«[72]

Und Börne scheute sich nicht, das französische Drama seiner Zeit inhaltlicher Elemente wegen zu loben. Wenn es weder ein

Trauerspiel noch ein Lustspiel ist, so sei es doch »wenigstens eine Zeitung von den Ereignissen des Tages, an denen jeder teilnimmt«.[73] Wo aber dem deutschen Drama der Kunstwert mangele, da mangele ihm alles.

Indes hat Börne sehr wohl gewußt, daß nicht nur der Gedanke den Ausdruck schafft, sondern auch der Ausdruck den Gedanken.[74] Unmißverständlich belehrte er seine Leser: »An einem Kunstwerke ist die Form nicht von dem Wesen zu trennen, und es kann die eine nicht ohne das andere verletzt werden.« Im Widerspruch zu den über ihn noch heute im Umlauf befindlichen Ansichten hat er die direkte Tendenzliteratur oft genug angezweifelt und abgelehnt: »Es ist nicht jedem mit der Destillation der Gesinnung, mit Sentenzen – es ist uns nicht immer mit Rosenöl gedient; wir wollen die Rosen selbst haben, ... wenn auch mit ihren Dornen.«[75] Und schließlich gilt für seine Prosa, gilt für Börne, was er Jean Paul nachgerühmt hat – daß dieser es verstanden habe, »das Musenpferd ohne den Steigbügel des Reims und ohne metrischen Zügel zu lenken«[76].

Das Echo, das die Schriften Börnes hatten, war enorm. Er war ohne Zweifel der berühmteste Journalist seiner Epoche; und er wurde so heftig bekämpft wie nur noch ein Autor – wie Heine. Aber zufrieden war Börne nicht. In einem Brief Kurt Tucholskys findet sich die Bemerkung: »Das, worum mir manchmal so bange ist, ist die Wirkung meiner Arbeit. Hat sie eine? (Ich meine nicht den Erfolg; er läßt mich kalt.) Aber mir erscheint es manchmal als so entsetzlich wirkungslos: da schreibt man und arbeitet man – und was ereignet sich nun realiter...?«[77] Ähnlich klagte, hundert Jahre früher, Börne: »Ich möchte belehren und fürchte zu gefallen; ich möchte raten und fürchte zu belustigen, ich möchte einwirken auf meine guten Mitbürger und ihren Ernst ansprechen, und ich fürchte Lachen zu erregen.«[78]

Um zu nützen und zu wirken, um Einfluß auszuüben, hat sich Börne auch zu praktischen Fragen des literarischen Lebens geäußert. Viele seiner Vorschläge und Hinweise sind leider bis heute aktuell geblieben.

Er verlangte nicht nur, daß Theaterschulen gegründet und an allen Bühnen Dramaturgen beschäftigt werden – beides kannte man damals noch nicht –, er wünschte auch »freie Schauspielhäuser«, damit »das arme Volk seine geistige Freude habe«[79]. Mit anderen Worten: Er hielt jenen Nulltarif für erforderlich, der bis jetzt in der Bundesrepublik nicht realisiert wurde.

Er hat über die Literaturkritik und die literarische Diskussion in seiner Zeit geurteilt, als habe er schon die Zeitungen und Zeitschriften unserer siebziger Jahre gekannt: »Wenn auch das eine kritische Blatt tadelt, was das andere lobt«, bemerkte Börne 1820, »so treffen doch diese feindlichen Ansichten nie auf einem Schlachtfelde zusammen, sie umgehen sich, und kein Werk der Wissenschaft erfährt einen entscheidenden Sieg oder eine entscheidende Niederlage. Das Beste findet seinen Tadler, und das Schlechteste seinen Lobredner.«[80]

Er hat sich nachdrücklich über die beklagenswerte materielle Situation deutscher Schriftsteller geäußert: »In Deutschland erlaubt das Naturrecht der Selbstverteidigung, die Wahrheit zu verletzen. Ein armer Schriftsteller dort, der keine andere Freuden hat als häusliche, der oft jahrelang von einer Gans nichts als die Federn auf seinem Tische sieht und von einem Hasen nichts hat als das Herz, dem, wenn er nach vierzehn Wochen glaubt, sich endlich einen neuen Rock erschrieben zu haben, die unbarmherzige Zensur einen ganzen Ärmel wegschneidet – was will er machen, wenn eine hohe Polizei mit ihm zürnt und ihm Amt und Brot raubt? Er muß lügen oder sterben; aber zur Wahrheit kann man zurückkehren, zum Leben nicht.«[81] Bis heute sind in diesem Lande die Bemühungen, den Schriftstellern ein Existenzminimum zu sichern, ergebnislos geblieben.

Zugleich meinte Börne: »Nicht die Zensur, die das Drucken verbietet, die andere ist die verderblichste, die uns am Schreiben hindert; und das tut sie im ganzen Lande.«[82] Und wer würde zu behaupten wagen, daß diese Warnung vor der Selbstzensur für uns, für die Verhältnisse in der Bundesrepublik, nicht gilt?

Börne bedauerte, daß Heine an der Wahrheit nur das Schöne liebe. Heine gab zu verstehen, daß Börne am Schönen nur die Wahrheit schätzen wollte. Wo Börne l'art pour l'art witterte, da witterte Heine die Revolution um der Revolution willen. Börne glaubte, Heine suche Schutz in einem Elfenbeinturm. Heine fürchtete, Börne stehe immer auf einer Barrikade. Wer hatte recht? Sie waren, will es mir scheinen, nicht soweit voneinander entfernt – jener Elfenbeinturm Heinrich Heines und jene Barrikade Ludwig Börnes.

1 Ludwig Börne: »Sämtliche Schriften.« Neu bearbeitet und herausgegeben von Inge und Peter Rippmann. Zweiter Band. Joseph Melzer Verlag, Düsseldorf 1964, S. 330. (Im folgenden zitiert: Börne.)
2 Heinrich Heine: »Sämtliche Schriften.« Herausgegeben von Klaus Briegleb. Vierter Band. Carl Hanser Verlag, München 1971, S. 26.
3 a.a.O., S. 86.
4 Börne Dritter Band, S. 513.
5 Börne III/243.
6 Börne III/243–244.
7 Börne II/812.
8 Börne III/511.
9 Börne IV/102.
10 Börne II/390.
11 Börne III/942.
12 Börne III/687.
13 Börne I/684.
14 Börne I/677.
15 Börne III/579.
16 Börne III/365.
17 Börne III/902.
18 Börne I/627.
19 Börne I/206.
20 Börne I/673.
21 Börne I/209.
22 Börne I/208.
23 Vgl. Börne IV/68.
24 Börne I/243.
25 Börne II/451.
26 Börne III/71.
27 Börne III/365.
28 Börne I/339.
29 Börne V/772.
30 Theodor Fontane: »Sämtliche Werke«. Herausgegeben von Walter Keitel. Abt. III: »Aufsätze, Kritiken, Erinnerungen«, Band 2: »Theaterkritiken«. Herausgegeben von Siegmar Gerndt. Carl Hanser Verlag, München 1969, S. 289.
31 Börne I/206–207
32 Börne I/106
33 Börne I/708
34 Börne V/666
35 Börne V/668
36 Börne I/721

37 Börne I/484
38 Börne I/492
39 Börne I/499
40 Börne I/490
41 Börne I/491
42 Börne I/496
43 Börne I/500
44 Börne I/500
45 Börne I/501
46 Börne I/248
47 Börne I/249
48 Börne I/397
49 Börne I/398
50 Börne I/400
51 Börne I/403
52 Börne II/395
53 Börne II/396
54 Börne I/304
55 Börne I/238
56 Börne I/395
57 Börne II/455
58 Börne II/560
59 Börne II/562
60 Börne IV/324
61 Börne I/790
62 Börne I/791
63 Börne IV/848
64 Börne II/868/869
65 Börne III/70
66 Börne I/1210
67 Börne II/819–820
68 Zitiert nach
   Ludwig Marcuse: »Börne – Aus der Frühzeit der deutschen Demokratie«. Verlag J.P. Peter, Gebr. Holstein, Rothenburg ob der Tau-
   ber, 1968, S., 282
69 Börne I/1057
70 Heine a.a.O. S. 11
71 Börne I/219
72 Börne II/782
73 Börne I/214
74 Vgl. Börne I/592
75 Börne II/699
76 Börne II/337
77 Kurt Tucholsky: »Ausgewählte Briefe 1913 – 1935« (Gesammelte

Werke. Hrsg. v. Mary Gerold-Tucholsky und Fritz J. Raddatz). Rowohlt Verlag, Reinbek bei Hamburg 1962, S. 213

78 Börne I/88
79 Börne I/866
80 Börne I/1064
81 Börne II/434
82 Börne I/212

I.

Ankündigung der »Gesammelten Schriften«
(1828)

Von den unwichtigsten oder den scherzhaftesten Dingen wollte
ich mit Ernst und breiter Würde sprechen; aber von meinen
Schriften ernsthaft reden – nein, das kann ich nicht. Herr Campe,
der sie sich angeeignet, sprach sogar von einer *Gesamtausgabe*
meiner Werke. Wie würde ich mich schämen, wenn er je so etwas
drucken ließe! Ich habe keine Werke geschrieben, ich habe nur
meine Feder versucht, auf diesem, auf jenem Papiere; jetzt sollen
die Blätter gesammelt, aufeinander gelegt werden, und der
Buchbinder soll sie zu Büchern machen – das ist alles. Zu dem Alten wird einiges Neues kommen; doch wer, nach so vielen Jahren,
das Alte nicht vergessen, für den behielt es einen Wert, und wer es
vergessen, dem ist alles neu. Ich habe hundertundzwanzig Bogen
zu liefern versprochen. Hundertundzwanzig Bogen! Guter Gott,
hat denn Voltaire so viel Geist? Aber zum Glücke ist in dem
Druckvertrage von dem Geiste meiner Schriften gar nicht die
Rede, und ich war sehr froh, als er unterschrieben war und unwi-
derruflich geworden.

Es ist so schwer, Bescheidenheit zu erkünsteln, und mir zumal,
dem Kunstfertigkeit ganz mangelt, würde es nie gelingen. Und
doch brauchte ich sie oder ihren Schein, die Leser zu begütigen.
Möchten sie meiner Aufrichtigkeit nur eines glauben. Es ist nicht
meine Schuld, wenn alte Reden sich zum zweiten Male hören lassen, es ist die meiner Freunde, ich habe ihnen lange widerstanden.
Vielleicht verdiene ich keine Achtung für das, was ich geschrieben, aber für das, was ich *nicht* geschrieben, verdiene ich sie gewiß. Ich war älter als dreißig Jahre, als ich mich an die Wortdrech-
selbank gesetzt, seitdem sind zehn Jahre vorübergegangen; ich
hätte früher anfangen, fleißiger fortfahren können, ich tat es
nicht, ich kam spät und kehrte selten wieder. Hätte ich es anders
gemacht, wie die Andern, dann wäre meine Sammlung voller geworden, und sie wäre jetzt, gleich einem Wolkenbruche, auf
Dich, armen Leser, herabgefallen. Meine Freunde haben mich oft
träge gescholten, sie haben mir Unrecht getan. Ich habe nicht
vermeiden können manches zu lernen, und über das, was ich *wuß-*

te, mochte ich nicht reden. Wo ich unwissend war, nur da hatte ich Trieb, mich auszusprechen, da war ich frei. Ich suchte immer meinen eignen Weg, wenn auch vorhersehend, daß ich nur zu bekanntem Ziele würde kommen. Traf ich aber dort mit den Besseren zusammen, machte es mir Freude; es hätte mich nicht gefreut, mit ihnen zu wandern oder mich führen zu lassen. So habe ich mühsam erfunden, was ich leichter hätte finden können, so verlor ich Zeit, und der Leser gewann sie. Doch das war es nicht allein, warum ich so schweigsam lebte. Ich hatte eine Richtung des Geistes, *eine*, und diese zu verfolgen, ward mir oft verwehrt. Was jeder Morgen brachte, was jeder Tag beschien, was jede Nacht bedeckte, dieses zu besprechen hatte ich Lust und Mut, vielleicht auch die Gabe; aber ich durfte nicht. Wie, durfte ich nicht? Ich bin ein Deutscher, lebe im Vaterlande, in einer Zeit, die Alles darf, und ich durfte nicht? Ich habe es erfahren, ich habe es gelebt, und doch ist es so unglaublich, daß ich oft an meinen Sinnen zweifle. Käme ein treuherziger Mann und spräche: Du durftest, ermuntere Dich, Freund, Du hast geträumt – ich striche mit der Hand über die Stirne und sagte: wahrhaftig, ich habe geträumt, ich durfte!

Was ich immer gesagt, ich *glaubte* es. Was ich geschrieben, wurde mir von meinem Herzen vorgesagt, ich mußte. Darum, wer meine Schriften liebt, liebt mich selbst. Man würde lachen, wenn man wüßte, wie bewegt ich bin, wenn ich die Feder bewege. Das ist recht schlimm, ich weiß es, denn ich begreife, daß ich darum kein Schriftsteller bin. Der wahre Schriftsteller soll tun wie ein Künstler. Seine Gedanken, seine Empfindungen, hat er sie dargestellt, muß er sie frei geben, er darf nicht in ihnen bleiben, er muß sie sachlich machen. Ach, die böse *Sachdenklichkeit*, es wollte mir nie damit glücken! Ich weiß nicht, ob ich mich darüber betrüben soll. Es muß wohl etwas Schönes sein um die Kunst. Die Fürsten, die Vornehmen, die Reichen, die Glücklichen, die Ruhigen im Gemüte lieben sie. Aber sie sind so gerecht die Kunstkenner, daß mich oft schaudert. Nicht *was* die Kunst darstelle, es kümmert sie nur, *wie* sie es darstelle. Ein Frosch, eine Gurke, eine Hammelkeule, ein Wilhelm Meister, ein Christus – das gilt ihnen alles gleich; ja sie verzeihen einer Mutter Gottes ihre Heiligkeit, wenn sie nur gut gemalt. So bin ich nicht, so war ich nie. Ich habe nur immer Gott gesucht in der Natur, die göttliche Natur in der Kunst, und wo ich Gott nicht fand, da fand ich Unnatur, und wo ich die *göttliche Natur* nicht fand, da fand ich elende Stümperei, und so habe ich über Geschichten, Menschen und Bücher geurteilt und so mag es wohl geschehen sein, daß ich manches gute und schöne Werk getadelt, nur weil ich den Werkmeister schlecht und häßlich fand.

Ich suchte zu bewegen; der Beweislehrer gab es schon genug. Wer zu den Köpfen redet, muß viele Sprachen verstehen, und man versteht nur eine gut; wer mit dem Herzen spricht, ist Allen verständlich, spricht Musik, in der sich jeder vernimmt, *sich*, und eine leise Antwort hört auf jede leise Frage.

Freunde haben es mit Verdruß, Gleichgültige als einen Tadel, auch einige Übewollende es mit Schadenfreude ausgesprochen: ich könnte kein Buch schreiben. Aber, habe ich denn eines geschrieben? Und was ist's! Ein Buch ist Wein im Fasse, ein Blatt Wein in der Flasche – wenn Wein ist hier und dort; wer trinken will, muß das Buch in Kapitel füllen. Auch habe ich gedacht, für Bücher sei jetzt die Zeit zu eilig und beschäftigt – die Welt ist auf Reisen.

Gehet nun hin, ihr guten einfältigen Blätter, ich wünsche euch Glück, ihr braucht es. Als ihr noch still und bescheiden auf der Schwelle des Musentempels saßet, zufrieden mit dem kleinsten Almosen des Beifalls, da waren euch viele hold, da waret ihr froh und sorgenlos. Jetzt schreitet ihr mit Stolz und Geräusch durch die Säulenhalle, und man wird euch nach eurer Würde fragen, ehe man euch aufnimmt, und euch empfangen nach eurer Würde. Ich sage nicht, wie üblich: daß ich jedes Lob mit Dank annehmen, dem Tadel aber mit Verachtung begegnen werde – ich sage es nicht, denn ich denke es nicht. Wahrlich, mir ist sehr bange – nicht vor dem Urteile, aber mir ist bange, ich möchte empfindlich dagegen werden. Bis heute war ich es nicht. Guter Gott! Wenn mich noch in meinen alten Tagen die Lobsucht der Schriftsteller befiele und der Krampf der Ehre meine gute breite Brust zusammenzöge – es wäre schrecklich!

Habe ich gesagt, ich wollte nicht mit *breiter Würde* von meinen Schriften reden? Ach, was sind die Vorsätze des Menschen! Ich glaube, daß ich es doch getan.
Hannover, im November 1828.

Bemerkungen über Sprache und Stil
(1826)

Im Jahre 1814 glorreichen Andenkens war ich als Herausgeber eines politischen Blattes so glücklich, unter der pädagogischen Leitung eines großmächtigen Polizeidirektors und Zensors zu stehen. Ich war damals, was sich von selbst versteht, jünger als jetzt, stand in den Flegeljahren der Schriftstellerei, war ohne Scheu, freimütig, ein kleiner Hutten. In dieser glücklichen Gemütsstimmung ließ ich drucken: »Die Engländer sind Spitzbuben.« Der Herr Polizeidirektor strich ganz gelassen diesen Satz aus der Weltgeschichte und bemerkte mir freundschaftlich: ich wäre ein junger Mann, gar nicht ohne Talent, und es wäre recht schade, daß ich meinen Geist nicht auf etwas Solides legte. Sehr beschäftigt, wie er war, wartete er nicht erst meine Erkundigung ab, was er unter *Solides* verstehe, sondern fügte von selbst hinzu: in der deutschen Sprache wäre noch viel zu tun und das eigentlich mein Feld, auf dem ich Ruhm und Lohn einernten könnte. Ich erwiderte hierauf: dieses Feld wäre allerdings so angenehm als fruchtbar; aber meiner Meinung nach wäre jetzt gar nicht die Zeit, wo ein braver Mann an seine Spaziergänge oder sonstige Vergnügungen denken dürfe. Wenn wir uns mit Untersuchungen über die deutsche Sprache beschäftigten, wer denn Europa in Ordnung bringen sollte? – fragte ich ihn. Ohne von dem Zensurblatte aufzublicken und mit dem Streichen einzuhalten, antwortete mir der Polizeidirektor: das ist unsere Sorge; Sie aber sollten Ihre glückliche Freiheit – Freiheit? Nein, *das* Wort gebrauchte er nicht. Er sagte: Sie aber sollten Ihre glückliche Sorgenlosigkeit gehörig benutzen, über unsere Muttersprache Forschungen anzustellen. *Beatus ille, qui procul negotiis* – setzte er mit klassischer Bildung hinzu. *Atque emolumentis?* frug ich satirisch. Aber er hörte diese Frage nicht oder wollte sie nicht hören, und es blieb zweifelhaft, ob das *Imp.*, das er im nämlichen Augenblicke niederschrieb, die Abbreviatur von *Impertinent* oder von *Imprimatur* war. Indessen versprach ich, den guten Rat zu befolgen, nahm mein radiertes Blatt und empfahl mich.

Seit jener Zeit habe ich oft und ernstlich über Sprache und Stil nachgedacht, aber was ich suchte, habe ich bis jetzt nicht entdeckt. Was heißt *Stil*? Buffon sagte: *Le style c'est l'homme.* Buffon hatte einen schönen und glänzenden Stil, und es war also sein

Vorteil, diesen Satz geltend zu machen. Ist aber der Satz richtig? Kann man sagen: wie der Stil, so der Mensch? Nur allein zu behaupten: wie der Stil, so das Buch – wäre falsch; denn es gibt vortreffliche Werke, welche in einem schlechten Stile geschrieben sind. Doch die Behauptung: der Mensch ist wie sein Buch – ist noch falscher, und die Erfahrung spricht täglich dagegen. Der eine dichtet die zartesten Lieder und ist der erste Grobian von Deutschland; der andere macht Lustspiele und ist ein trübsinniger Mensch; der dritte ist ein fröhlicher Knabe und schreibt Nachtgedanken. Machiavelli, der die Freiheit liebte, schrieb seinen *Prinzen*, so daß er alle rechtschaffene Psychologen in Verlegenheit und in solche Verwirrung gebracht, daß sie gar nicht mehr wußten, was sie sprachen, und sie behaupteten, Machiavelli habe eine politische Satire geschrieben. Was heißt also *Stil*? Wie gesagt, ich weiß es nicht, und ich wünsche sehr, darüber belehrt zu werden.

Die Schreibart eines Schriftstellers gehörig zu beurteilen, muß man die Darstellung von dem Dargestellten, den Ausdruck von dem Gedanken sondern. Aber dieses wird zu oft miteinander verwechselt. Noch ein anderes wird nicht immer gehörig unterschieden, nämlich: die Schönheit und das Charakteristische des Stils. Man kann sehr schön schreiben, ohne einen Stil zu haben, und einen Stil haben, ohne schön zu schreiben. Ja, eine Schreibart von eigentümlichem Gepräge schließt die vollkommene Schönheit aus, wie ein Gesicht mit ausgesprochenen Zügen selten ein schönes und ein Mann von Charakter selten ein liebenswürdiger ist. Nicht im Kolorit, in der größern oder kleinern Lebhaftigkeit der Farben, sondern in der Zeichnung, Stellung und Gruppierung der Gedanken liegt das Eigentümliche einer Schreibart. Vielleicht hängt der Stil eines Schriftstellers mehr vom Charakter als vom Geiste, mehr von seiner sittlichen als von seiner philosophischen oder Kunstanschauung des Lebens ab. Cicero schreibt vortrefflich, aber er hat keinen Stil, er war ein Mann ohne Charakter. Tacitus hat einen, und Cäsar. Die Franzosen können keinen Stil haben, weil ihre Sprache einen hat. Wer in Frankreich schreibt, schreibt wie die guten französischen Schriftsteller, oder schreibt schlecht. Vergleicht man Rousseau mit Voltaire, so findet man zwar beider Stile sehr voneinander verschieden, doch sind sie es nur so lange, als sich beider Ansichten voneinander unterscheiden. Wo Rousseau denkt wie Voltaire, schreibt er auch wie er.

Die deutsche Sprache hat – der Himmel sei dafür gepriesen – keinen Stil, sondern alle mögliche Freiheit, und dennoch gibt es so wenige deutsche Schriftsteller, die das schöne Recht, jede eigentümliche Denkart auch auf eigentümliche Weise darzustellen, zu ihrem Vorteile benutzten! Die wenigen unter ihnen, die einen Stil haben, kann man an den Fingern abzählen, und es bleiben noch Finger übrig. Vielleicht ist Lessing der einzige, von dem man bestimmt behaupten kann: er hat einen Stil.

Eine andere Frage: Woher kommt es, daß so viele deutsche Schriftsteller so sehr schlecht schreiben? Vielleicht kommt es daher, weil sie sich keine Mühe geben, und sie geben sich keine Mühe, weil sie, als Deutsche treu und ehrlich sich mehr an die Sache und die Wahrheit haltend, es für eine Art Koketterie ansehen, den Ausdruck schöner zu machen, als der Gedanke ist. Entspringt die Vernachlässigung des Stils aus dieser Quelle, so ist zwar die gute Gesinnung zu loben; doch ist die Sittlichkeit, von der man sich dabei leiten läßt, eine falsche. Wie man sagt: der Gedanke schafft den Ausdruck, kann man auch sagen: der Ausdruck schafft den Gedanken. Worte sind nichtswerte Muscheln, in welchen sich zuweilen Ideen als edle Perlen finden, und man soll darum die Muscheln nicht verschmähen. Zu neuen Gedanken gelangt man selten. Der geistreiche Schriftsteller unterscheidet sich von dem geistarmen nur darin, daß er, mit größerer Empfänglichkeit begabt, schon vorhandene Ideen, deren Dasein jener gar nicht merkt, aufzufassen und sich anzueignen vermag; aber neue schafft er nicht. Der menschliche Geist müßte eine ungeheure Umwälzung, eine solche erfahren, von der wir gar keine Ahnung haben, wenn der Kreis seiner Wirksamkeit sich bedeutend erweitern sollte. Die größte bekannte Revolution, welche die Menschheit erlitten, war das Christentum, und doch kann man sagen, daß wir viele neue Ideen gewonnen, welche den Alten fremd gewesen. Freilich erklärt sich dieses dadurch, daß auch schon vor Christus christliche Weltanschauung, wenn auch nicht in solcher Ausbreitung als jetzt, geherrscht hat. Kann aber der Schriftsteller keine neue Ideen schaffen, so vermag er doch die alten in neue Formen zu bringen, und wie die Lebenskraft in der ganzen Natur die nämliche und es nur die Gestalt ist, welche in der Wesenskette ein Geschöpf über das andere stellt, so wird auch der ewige, ungeborne Gedanke durch einen edlern oder gemeinern Ausdruck edler oder gemeiner dargestellt – und der

Pflegevater ist auch ein Vater.

Die schlechte Schreibart, die man bei vielen deutschen Schriftstellern findet, ist etwas sehr Verderbliches. In Büchern ist der Schaden, den ein vernachlässigter Stil verursacht, geringer und verzeihlicher; denn Werke größeren Umfangs werden mehr von solchen gelesen, die eine umschlossene oder gesicherte Bildung haben, und der sittliche und wissenschaftliche Wert dieser Werke kann ihren Kunstmangel vergüten. Zeitschriften aber, aus welchen allein ein großer Teil des Volks seine Bildung, wenigstens seine Fortbildung schöpft, schaden ungemein, wenn sie in einem schlechten Stile geschrieben sind. Die wenigsten deutschen Zeitschriften verdienen in Beziehung auf die Sprache gelobt zu werden. Es ist aber leicht an ihnen zu gewahren, daß die Fehlerhaftigkeit des Stils von solcher Art ist, daß sie hätte vermieden werden können, wenn deren Herausgeber und Mitarbeiter mit derjenigen Achtsamkeit geschrieben hätten, die zu befolgen Pflicht ist, sobald man vor dreißig Millionen Menschen spricht. Man glaubt gewöhnlich, jedes Kunsttalent müsse angeboren sein. Dieses ist aber nur in einem beschränkten Sinne wahr, und gibt es ein Talent, das durch Fleiß ausgebildet werden kann, so ist es das des Stils. Man nehme sich nur vor, nicht alles gleich niederzuschreiben, wie es einem in den Kopf gekommen, und nicht alles gleich drucken zu lassen, wie man es niedergeschrieben. Eine gute Stilübung für Männer (denn Knaben auf Schulen im Stile zu üben, finde ich sehr lächerlich) ist das Übersetzen, besonders aus alten Sprachen. Ich meinerseits pflege mich am Horaz zu üben, und – es kommt hier nicht darauf an, ob mir die Übersetzungen mehr oder minder gelungen, aber das habe ich dabei gelernt: daß die Reichtümer der deutschen Sprache, wie wohl jeder, nicht oben liegen, sondern daß man darnach graben muß. Denn oft war ich tagelang in Verzweiflung, wie ich einen lateinischen Ausdruck durch einen gleich kräftigen deutschen wiedergeben könne, ich ließ mich aber nicht abschrecken und fand ihn endlich doch. So erinnere ich mich, acht Tage vergebens darüber nachgedacht zu haben, wie *sub dio moreris* zu übersetzen sei, und erst am neunten kritischen Tage fand ich das richtige Wort. Mehrere deutsche Journalisten werden es einst bereuen, daß sie die gegenwärtige vorteilhafte Zeit nicht zur Verbesserung ihres Stils benutzt haben. Die goldene Zeit der römischen Literatur begann, als die der Freiheit aufhörte. Natürlich. Wenn man nicht frei heraussprechen darf, ist man genötigt, für alte Gedanken neue Ausdrücke zu finden. Die schönsten Stellen des Tacitus sind, wo er von der alten Freiheit spricht, weil er dieses verdeckt tun mußte, da er, zwar unter einem guten Kaiser, aber doch unter einem Alleinherrscher lebte. Unsere Zeit auch verstattet nicht, alles frei herauszusagen, und durch diesen Zwang befördert sie sehr den guten Stil. Man möchte von Konstitution, von Spanien, von Italien sprechen, aber es ist verboten. Was tut ein erfinderischer Kopf? Statt Konstitution sagt er »Leibesbeschaffenheit«, statt Spanien »Iberien«, statt Italien »das Land, wo im dunklen Hain die Goldorangen glühen«, und gebraucht für diesen und jenen Gedanken diesen und jenen dichterischen Ausdruck, den der gemeine Mann nicht versteht. Denn darauf kommt jetzt alles an, daß der gemeine Mann nicht errate, was wir wollen, sondern fühle, was wir gewollt. Die deutschen Journalisten müssen sich aber eilen. Sie sollen nicht vergessen, daß am 20. September 1824, abends mit dem Glockenschlage zwölf, die Zensur in Deutschland aufhört. Wenn sie also bis dahin ihren Stil nicht verbessert, werden sie mit ihrem schlechten Stile in die Ewigkeit wandern.

Weil wir gerade in so freundschaftlichen Unterhaltungen begriffen sind, will ich noch erzählen, wie ich dazu gekommen, den Horaz zu übersetzen. Am 20. März 1815 kehrte Napoleon von der Insel Elba zurück. Wir deutschen Zeitungsschreiber wurden rein toll vor Freude. Nicht etwa aus Liebe für die korsische Geißel – bewahre der Himmel! – sondern weil uns nach langer Dürre endlich wieder erfrischende Nachrichten zugekommen. Ich schrieb hurtig einen schönen Artikel in meine Zeitung – nicht *für*, sondern *gegen* Napoleon; denn, es offenherzig zu gestehen, ich war damals noch eine recht gläubige Seele und sehr dumm, wenn ich mich so ausdrücken darf. Aber der Artikel, der mit vielem Feuer geschrieben, wurde von oben erwähntem Polizeidirektor dennoch gestrichen. Den andern Tag fragte ich dessen Sekretär, warum es geschehen, da wir doch alle mit der Geißel der Menschheit Krieg führten? Dieser antwortete mir: »Wind ist Wind, ob er nach Osten oder Westen bläst – gleichviel. Er soll gar nicht blasen, wir wollen Ruhe haben.« Also, wie gesagt, mein Artikel wurde gestrichen. Es war zehn Uhr abends, und es fehlte mir eine halbe Spalte. Was tue ich? Im Polizeizimmer lag unter den Sachen eines Jenaer Studenten, der am nämlichen Tage, weil er seine Wirtshauszeche nicht bezahlen konnte, arretiert worden war, ein kleiner Horaz. Ich setzte mich hin und übersetzte daraus die Ode *Nunc est bibendum* und bringe das nasse Manuskript zum Zensieren ins Nebenzimmer, wo der Polizeidirektor saß. Dieser las es und sprach: »Charmant! Ich muß Ihnen das Kompliment machen, daß Sie die Ode recht gut übersetzt. Horaz – ja, das war ein Mann! Welche Sprache, welche Delikatesse, welches attische Salz! (Schade, bemerkte ich, daß auch dieses Salz ein Regal ist!) Und welche Philosophie, welche Sittlichkeit, welche Tugend! Ja, Horaz, das nenne ich einen wackern Mann!«... Als ich Horaz wegen seiner Sittlichkeit loben hörte, pochte mir das Herz; ich konnte es nicht länger aushalten und mußte mir Luft machen. Ich ordnete meine Glieder, streckte feierlich wie ein Gespenst meine Rechte aus und sprach wie folgt: »Horaz ein wackerer Mann? der? Nun, dann seid mir willkommen, ihr Memmen und Schelme! Nicht als ich Sylla morden, als ich Cäsar rauben, als ich Oktavius stehlen sah, gab ich die römische Freiheit verloren – erst dann weinte ich um sie, als ich Horaz gelesen. Er, ein Römer, ihr Götter! und seine Kinderaugen haben die Freiheit gesehen – er war der erste, der sich am Feuer des göttlichen Genius seine Suppe kochte. Was lehrt er? Ein Knecht mit Anmut sein. Was singt er? Wein, Mädchen und Geduld. Ihr unsterblichen Götter! ein Römer und Geduld. Er vermochte darüber zu scherzen, daß er in jener Schlacht bei Philippi, wo Brutus und die Freiheit blieb, seinen kleinen Schild »nicht gar löblich« verloren. Klein war der Schild, Herr Polizeidirektor, und doch warf er ihn weg – so leicht macht' er sich zur Flucht! Und der ein wackerer Mann?«... Ich sagte noch mehrere solche teils fürchterliche, teils heidnische Dinge. Der Polizeidirektor entsetzte sich, trat weit, weit von mir zurück und sah mich flehentlich an. Ich ging. Auf der Treppe dachte ich, er ist doch kein ganzer Türke – er fürchtet die Ansteckung!

Aber das Lob, das offizielle Lob, daß ich *Nunc est bibendum* gut verdeutscht, hatte ich weg. Das munterte mich auf, ich übte mich weiter, und so habe ich nach und nach fast den ganzen Horaz übersetzt. Da liegen sie nun, die armen Oden und Satiren, und ich weiß nicht, was ich damit machen soll. Sollte ein unglückseliger Zeitungsschreiber Gebrauch davon machen wollen, die Zahnlükken der Zeit damit auszufüllen, so stehen sie ihm zu Gebote. Briefe werden postfrei erbeten.*

Vorrede zu den »Dramaturgischen Blättern«
(1829)

Deutschlands kritische Nacht war gekommen, die Wärter saßen kopfschüttelnd am Bette, alte Basen machten bedenkliche Runzeln, und die Lichter wurden nicht mehr geputzt. Da richtete sich der Kranke plötzlich auf, saß ganz gerade, blickte umher und fragte: »Wo bin ich?« – »In Ihrer alten Wohnung, bei den Ihrigen« – antwortete der Arzt, freundlich und vergnügt, und machte eine siegreiche Miene. Ein wohltätiger Schweiß war ausgebrochen, die Fieberphantasien hatten aufgehört, der gute alte Puls war gleich wieder da, und die Gesundheit kehrte mit schnellern Schritten zurück, als sie sich entfernt hatte. Noch einige Tage blieb der Genesende schwach; aber er lächelte selig, alles war ihm recht, er war alles zufrieden. Noch einige Tage, und Vetter Michel stand wieder auf den Beinen, schnitt sich zwölf Dutzend neue Federn und aß abends seinen Kartoffelsalat. Noch einige Tage, und das Testament, in der Furcht des Todes geschrieben, wurde hervorgesucht und zerrissen; es sollte alles beim alten bleiben. Noch einige Tage, und der Krankenwärter kam glückwünschend und erinnerte an den neuen blauen Rock, dem ihm der Kranke versprochen hatte, wenn er wieder aufkäme. Der Gesunde lachte den guten Mann aus und sagte: »Im Fieber mag ich wohl viel dummes Zeug gesprochen und versprochen haben...« Ach! es war eine schöne Zeit. Zwar habe ich nicht mitgefochten im Befreiungskriege – mir fehlte das gehörige Maß des Körpers und des Glaubens –, aber ich habe den Franzosen auch kleine Stöße gegeben. Von der Polizeistelle eines rheinischen Bundesstaates war ich, ohne Stuhl und Stil zu wechseln, zur Polizeistelle eines deutschen Bundesstaates gekommen. Früher hatte ich gehorsame, eilfertige Briefe nach allen Postwinden geschrieben, um arme deutsche Jungen, die sich versteckt hatten, weil man sie als widerspenstige Konskribierte verfolgte, zu erspähen und den französischen Metzgerknechten auszuliefern. Jetzt schrieb ich noch gehorsamere, noch eilfertigere Briefe, um alte Deutsche mit pedantischen Herzen, die immer noch Liebe und Bewunderung für Napoleon zeigten, als Verräter festzuhalten und deutschen Metzgerhunden zur Bewachung zu übergeben. Einmal fing man einen solchen Spion, und ich mußte ihn auf Befehl meiner Vorgesetzten zwingen, sich bis auf das Hemd auszukleiden, um nachzusehen, ob er sich nicht die drei Farben tätowiert hätte. Ich fand nichts, sah, daß alles gut war und Deutschland wirklich frei. Darauf bekam ich meinen Abschied, und das war auch gut. Ich trieb Privatpatriotismus und gab eine Zeitschrift heraus: *Die Wage*. Ach Himmel! An Gewichten fehlte es mir nicht, aber ich hatte nichts zu wiegen. Das Volk auf dem Markte tat nichts und machte keine Geschäfte, und das Völkchen in den höhern Räumen handelte mit Luft und Wind und andern imponderablen Stoffen. Ich war in sehr großer Verlegenheit. Das Journal war angekündigt, der Druck hatte schon begonnen, die Abonnementsgelder waren schon ein- und ausgezogen, und ich wußte noch nicht, wie ich mein Versprechen erfüllen und das Versprochene voll machen sollte. Da riet mir ein Freiwilliger Jäger, der sein Leben liebgewonnen und, um es fortzusetzen, Komödiant geworden war, ich solle über das Theater schreiben. Der Rat war gut, und ich befolgte ihn. Ich setzte die wohlweise Perücke auf und sprach Recht in den wichtigsten und hitzigsten Streithändeln der deutschen Bürger – in Komödiensachen. Wie ein Geschworener urteilte ich nach Gefühl und Gewissen; um die Gesetze bekümmerte ich mich, ja ich kannte sie gar nicht. Was Aristoteles, Lessing, Schlegel, Tieck, Müllner und andere der dramatischen Kunst befohlen oder verboten, war mir ganz fremd. Ich war ein *Naturkritiker* in dem Sinne, wie man einen Bauer vor zwanzig Jahren – ich glaube, er hieß *Maus* –, der Gedichte machte, einen *Naturdichter* genannt hatte. Die Katze Kritik ging damals sehr schonend um mit jener Maus, zog ihre Krallen ein und liebkoste sie. Eine gleiche Nachsicht fand ich auch, wahrscheinlich aus gleichem Grunde: weil man eine gewisse bäuerliche Natürlichkeit an mir bemerkt. Die Menschen sind gar nicht so schlimm, als man gewöhnlich glaubt. Sie lassen jedem gern seine Meinung, häßlich oder schön, wenn er nur fest darinsteckt wie in seiner Haut; versteckt man sich aber hinter seiner Meinung, dann ziehen die Leute mißtrauisch den Vorhang weg, um zu sehen, wer dahinter ist. Meine Kritiken fanden vielen Beifall, sogar Kotzebue lobte mich. Wie wütend war ich über Sand, als er mir meinen lieben guten Kotzebue umgebracht, der mich gelobt hatte. Es war Hamlet, der Polonius erstach, Rattengift – dummes Volk!

So sind diese dramaturgischen Blätter entstanden, die ich jetzt, gesammelt und vermehrt, den Lesern vorlege. Möchten sie größere Freude daran haben, als ich selbst dabei gefunden. Ich beklage verlorne Zeit und fruchtlose oder übel verwendete Mühe. Der Kritiker befördert so wenig die schöne Kunst, als der Scharfrichter die Tugend befördert. Beide schrecken nur von Vergehungen ab, beide bestrafen sie nur. Ich fange an zu glauben, daß die armen Bühnendichter doch recht haben mögen, wenn sie ihre Rezensenten Freudestörer schelten. Wir sind wirklich garstige Raupen, die Blatt nach Blatt abfressen, bis vom Buche nichts mehr übrigbleibt als der Deckel und die Rechnung des Buchhändlers. Ehe die Schlange Kritik mich verführte, war ich unschuldig wie der Mensch im Paradiese; ich konnte über einen Ifflandschen Hofrat, wenn er tugendhaft war, weinen wie ein Bürgermädchen, und über *Bären* und närrische *Pudeln* gleich einem Wiener lachen. Da aß ich vom Baume der Erkenntnis, lernte Gutes vom Bösen unterscheiden, und meine Zufriedenheit war hin. Da kam ich mit einem Vergrößerungsglase in das Schauspielhaus und entdeckte häßliche Flecken und Unebenheiten, wo ich früher alles schön und glatt gefunden. Da fing ich die armen Leute zu plagen an, und mich am meisten.

> — Ein Kerl, der *kritisiert,*
> Ist wie ein Tier, auf dürrer Heide,
> Von einem bösen Geist im Kreis herumgeführt,
> Und ringsumher liegt schöne grüne Weide.

Es ist wahr, ich hatte bei meinem dramaturgischen Bestreben eine schönere und bessere Absicht als die, einen armen Dichter zu kränken, den die Natur schon genug gekränkt hatte, und seine armen Bewunderer zu verspotten. Aber ich blieb immer ein Tor, zu hoffen, das Feiertägliche werde wirken, wo das Wochentägliche nicht gewirkt, und zu vergessen, daß es Lehren gibt, die, wenn nötig geworden, fruchtlos sind. Ich sah im Schauspiele das Spiegelbild des Lebens, und wenn mir das Bild nicht gefiel, schlug ich, und wenn es mich anwiderte, zerschlug ich den Spiegel. Kindischer Zorn! In den Scherben sah ich das Bild hundertmal. Ich war bald dahintergekommen, daß die Deutschen kein Theater haben, und einen Tag später, daß sie keines haben *können*. Das erstere war mir gleichgültig — man kann ein sehr edles, ein sehr glückliches Volk sein ohne gutes Schauspiel — aber das andere betrübte mich. Dieser Schmerz gab meinen Beurteilungen eine Leidenschaftlichkeit, die man mir zum Vorwurfe gemacht, weil man sie mißverstanden. »Sie sind zu scharf« — sagten mir oft Freunde, weil sie dachten, ich hätte es auf einen Dichter, einen Schauspieler abgesehen. Guter Gott! Wäre der Dichter oder der Schauspieler mein Sohn gewesen, ich hätte ganz so von ihm gesprochen wie von dem Fremden, so wenig dachte ich daran, einem wehe zu tun. Es war oft komisch, wenn junge Leute, die Respekt vor mir hatten, im Theater oder nach demselben auf meine Worte horchten, was ich urteilte von dem neuen Stücke, ob ich es für gut oder schlecht erklärte. Wahrhaftig, ich hatte beim zweiten Akte den ersten, wenn der Vorhang fiel, alles vergessen, und ich erinnerte mich gar nicht, ob das Stück gut oder schlecht war. Aber am folgenden Tage kam immer etwas, das mich daran erinnerte: das Stück *mußte* schlecht gewesen sein, und da setzte ich mich hin und beurteilte es und tadelte die Zeitung des Morgens im Komödienzettel des Abends, die Natur in der Kunst. Ich schlug den Sack und meinte den Esel. Das französische Schauspiel, das klassische zumal, ist mir weit mehr zuwider als das deutsche; aber nur, wenn ich es lese, nicht, wenn ich im Lande es darstellen sehe. Dann gewahre ich bald, daß die Gebrechen des französischen Dramas die der Franzosen, die ihrer Nationalität sind; die Gebrechen des deutschen Dramas aber zeugen von der *Unnationalität* der Deutschen, und das ist zum Verzweifeln, das ist keine bloße Komödie. Ein Volk, das nur der Pferch zum Volke macht, das, außer demselben, den Wolf fürchtet und den Hund verehrt und, wenn ein Gewitter kommt, die Köpfe zusammensteckt und geduldig über sich herdonnern läßt; ein Volk, das beim Jahresabschlusse der Geschichte gar nicht mitgerechnet wird, ja, das sich selbst nicht zählt, wo es selbst die Rechnung macht, – ein solches Volk mag recht gut, recht wohlig, ganz brauchbar für das Haus sein; aber es wird kein Drama haben, es wird in jedem fremden Drama nur der Chor sein, der weise Betrachtungen anstellt, es wird nie selbst ein Held sein.

Alle unsere dramatischen Dichter, die schlechten, die guten und die besten, haben das Nationelle der Un-Nationalität, den Charakter der Charakterlosigkeit. Unser stilles, bescheidenes, verschämtes Wesen, unsere Tugend hinter dem Ofen und unsere Scheinschlechtigkeit im öffentlichen Leben, unsere bürgerliche Unmündigkeit und unser großes Maul am Schreibtische – alles dieses vereint, steht der Entwicklung der dramatischen Kunst mächtig im Wege. Reden heißt uns handeln und schweigen groß handeln. Die Skulptur kam in der christlichen Zeit durch die

Entwöhnung, nackte Gestalten zu sehen, herunter, und die Entwöhnung, nackte Charaktere zu sehen, läßt die dramatische Kunst in Deutschland nicht aufkommen. Zwar versetzt sich der Deutsche leicht in jedes neue Verhältnis, in jede fremde Empfindung; aber diese Leichtigkeit wird durch die andere, sich *aus* jeder Lage zu versetzen, wieder zunichte gemacht. Der Deutsche reflektiert über alles, sieht alles aus der Vogelperspektive und ist darum nie in der Mitte der Sache. So ist er erhaben über den Scherz, handhabt ihn und ist nie scherzhaft. Den Punkt, den sich Archimedes wünschte, hat er gefunden, und er sollte wünschen, daß er ihn verlöre. Und tritt der Deutsche in ein fremdes Verhältnis ein, dann geschieht es als Gast, er ist bescheiden und verlegen und tut nicht wie zu Hause darin. Der Deutsche *hat* alles und *ist* nichts, und die dramatischen Charaktere seiner Schauspiele *haben* darum nur, was sie *sein* sollten. Im Lustspiele, wenn ja einmal die Dummheit aufhört und der Witz erscheint, sehen wir den Geist, aber nicht den Charakter des Witzes; wir sehen witzige Geister, aber keine witzige Charaktere. Die Personen *haben* Witz und *sind* nicht witzig. Bezeichnend für diese Gattung der Fehlerhaftigkeit ist *Raupach*, ein Mann von Geist, Geschmack und schöner Darstellung. Alle seine komischen Personen machen sich über sich selbst lustig, greifen dadurch in das Recht des Zuschauers ein und rauben diesem alle Lust. Sein Eifersüchtiger in »Laßt die Toten ruhen«, sein Shakespeare-Narr in »Kritik und Antikritik«, persiflieren ihren eigenen Charakter; der eine verspottet die Eifersucht, der andere die Shakespeare-Manie. Sie tragen die Maske ihres Charakters, verstellen ihre Stimme, sind aber nicht, was sie scheinen. Ich habe, soviel ich mich erinnere, in den Kritiken dieser Sammlung noch andere Bemerkungen über die Unbedeutendheit des deutschen Lustspiels und die Schuld daran gemacht, und ich will hier darauf hinweisen.

Hat das Lustspiel keine Lust, ist das Trauerspiel dafür um so trauriger. Man braucht ein doppeltes Maß von Tränen, eines für die Leidenden im Gedichte, ein anderes für den leidenden Dichter selbst. Der arme Tragödist, ein geplagter Schulmeister, auf dessen Bänken naseweise Könige und wilde Völker sitzen, und der die Rute gebrauchen soll für beide, bekommt sie öfter, als er sie austeilt. Er ist furchtsam, versteckt sich hinter die Tugend, sagt, nicht er gebiete, sondern sie, nicht er sei streng, sondern sie, und man möge ihm nichts übeldeuten. Im Hause haben wir Mut, der Deutsche hält etwas auf sein Hausrecht; da sind wir imstande, wie der Geiger Miller in »Kabale und Liebe«, sogar einem Präsidenten mit dem Hinauswerfen zu drohen. Aber vor der Türe, wo die Polizei beginnt, wenn die Dekoration einen Palast, eine Straße, einen Markt vorstellt, da sind wir ängstlich und blöde, sehnen uns nach der warmen Stube, nach den gemütlichen Pantoffeln zurück; und dichten wir Tragödien in dieser weinerlichen Stimmung, wird ein lyrisches Gedudel, ein Papa Tell, ein empfindsamer Tiroler, ein operlicher Belisar daraus. Im Leben und im Drama kommt es darauf an, recht zu *behalten*; dem ehrlichen Deutschen aber liegt daran recht zu *haben*, und darum haben seine Helden alle recht und die Geschlagenen immer unrecht. Unser Hausherz, unsere Provinzialempfindung verdirbt die Kunst. Dem tragischen Dichter ergeht es wie dem Schweizersoldaten. Er steht mitten im tragischen Schrecken, der Sturm der Schlacht tobt wild, Waffen klirren, Wunden ächzen, das Leben steigt im Preise, der Tod wird wohlfeil, der Augenblick gebietet, der Mut über den Augenblick, die Flamme der Begeisterung erwärmt selbst den kalten Feigling, der Held kämpft wie ein Löwe – da, horch! – da summt einer den Kuhreigen; der Held steht stille, es wird ihm schwabbelig, seine Augen tröpfeln, er läßt den Arm sinken, wirft das Schwert hin, desertiert, vergißt Ehre, Pflicht, Ruhm, alles, läuft in die Heimat zurück, setzt sich hinter den Ofen und weint unaufhörlich. Da sitzt der Held, statt zu streiten, warm im Herzen des Dichters – warm, weil er sich warm gelaufen; denn was ist ein deutsches Herz? – eine gefrorene Schweiz, nichts mehr.

Den armen Rest nimmt eine schamlose Zensur hinweg. War nicht Grillparzers jungfräuliche Muse schön und hold? Nun seht, seht! Man hat sie der ehrlosesten Mißhandlung preisgegeben, in der Wachtstube der Polizei wurde sie geschmäht und geschändet, und jetzt schleicht sie bleich und mit verweinten Augen umher, daß einem das Herz vor Mitleid springen möchte. Sagt nicht: »So schlimm ist es nicht überall!« – doch, doch, so schlimm ist es überall. Nicht die Zensur, die das Drucken verbietet, die andere ist die vederblichste, die uns am Schreiben hindert; und das tut sie im ganzen Lande. Wir werden zensiert geboren, unsere Ammenmilch ist zensiert. Ein Deutscher könnte fünfzig Jahre Großinquisitor sein, und er würde das freie Denken nicht verlernen; aber setzt ihn auf eine menschenleere Insel, wo er sein eigener

König ist, und er schreibt nicht frei. Er würde immer fürchten, irgendein Schwachkopf auf einer der Inseln im Stillen Ozean könnte sich an eines seiner harten Worte stoßen und würde sie darum alle mit weichem Wulste umgeben. Wir sind so sehr gewöhnt, vorsichtig zu sein, daß uns die Vorsicht zu tierischem Instinkte geworden und wir sie gar nicht mehr brauchen. Dem Deutschen ist ganz unbekannt, wieviel der Mensch an Wahrheit, Grobheit und Satire, ohne zu sterben, ertragen kann. Er weiß noch weniger, daß der Mensch gar nicht daran stirbt, sondern vielmehr stärker und gesünder davon wird. Selbst verwöhnt und verzärtelt, verwöhnt und verzärtelt er auch die Kinder seines Geistes. Er windelt sie gegen die Luft bis zum Halse ein, und sie liegen da wie die ägyptischen Mumien, regungslos und bedeckt mit Hieroglyphen. Darum ist auch kein Leben, darum herrscht auch das Fratzige und Rätselhafte in allen dramatischen Gedichten. Der Dichter will nicht gedeutet sein, er nimmt seine Urbilder nicht aus der Wirklichkeit. Sie verspotten die Torheiten des vorigen Jahrhunderts, züchtigen die Verbrechen des vorigen Jahrtausends, und wenn nicht ein Bräutigam aus Mexiko oder ein Vetter aus Lissabon kommt, wissen sie nichts Neues aufzutreiben. Sie kennen die Natur und kennen den Menschen nicht. Eine Laune machen sie zur Leidenschaft, den Rausch der Leidenschaft zur perennierenden Empfindung, Empfindungen zu Gedanken, und unfruchtbare Gedanken lassen sie Handlungen gebären. Unmögliche, mißgestaltete Ungeheuer von Geschichten lassen sie geschehen, und sie vergessen, daß, wenn im Leben auch das Unwahrscheinlichste zuweilen wirklich wird, es doch auf der Bühne nie geschehen darf. Und gelingt es ja einmal einem dramatischen Dichter, das wirkliche, gelebte Leben schön und wahr darzustellen, leugnet er es ab, opfert seinen Künstlerruhm seiner Ruhe auf und sagt:

> Bemüht euch nicht, im Buche der Geschichte
> Der Quelle meines Liedes nachzuspüren;
> Die *Wirklichkeit* taugt selten zum Gedichte.

Es sei alles erfunden, alles gelogen, er habe an nichts dabei gedacht, das Stofflose sei der echte Stoff für ein Drama, und an *nichts* zu denken, das sei die rechte Art, eine Tragödie zu schreiben! denn

> Was niemals war, das ist zu allen Zeiten.

Mit dem französischen Drama hat die Kritik freilich auch ihre große Not und Langeweile; aber die Zuschauer nie. Ist es kein Trauerspiel, ist es kein Lustspiel, so ist es doch wenigstens eine Zeitung von den Ereignissen des Tages, an denen jeder teilnimmt. Man weint oder lacht, pfeift oder klatscht, man macht Lärm und hat seine Freude daran. Wenn aber dem deutschen Drama der Kunstwert mangelt, mangelt ihm alles. Nur der einzige Kotzebue hat den Verstand gehabt, seinen Schauspielen, die sich alle gleichen, wenigstens den Kalendernamen des Tages zu geben, und er hat damit gewirkt. Es ist ganz zum Verzweifeln, daß der Deutsche mit der Temperatur der Jahreszeiten nie im Einklange steht. Im Winter geht seine Seele nackt, im Sommer trägt sie einen Pelz. Im Kriege ist er politisch und spricht von Politik, während dem Frieden teilt er die Welt aus. Er schreibt Bücher über den Haushalt der Athener; um den Haushalt der Östreicher, welchen er sein Geld anvertraut, bekümmert er sich nicht. Eine Berliner Akademie hält am Geburtstage des großen Friederichs eine Vorlesung über die Infinitesimalrechnung, und es wäre doch wahrhaftig zeitgemäßer, wohltätiger und patriotischer, zur Feier eines solchen Tages eine Vorlesung über den deutschen Fürstenbund zu halten. Engländer und Franzosen walzen mit der Zeit, der Deutsche tanzt einen Menuett mit ihr. Sie sind sich immer entgegen, der Chapeau steht oben, die Dame unten; sie entfernen sich voneinander und sehen sich dabei schief an, und wenn sie sich begegnen, reichen sie sich die Hände, aber mehr zum Adieu als zum Willkommen. Will ja einmal ein Deutscher der Zeit die Hand küssen, benimmt er sich so ungeschickt dabei, daß alle Welt lachen muß. Einer Tat die Farbe der Empfindung geben, das vermögen sie nicht. Dem Zechbruder Lessing errichten sie ein Spital, und für den heiligen Bonifazius in Fulda werden sie wahrscheinlich ein Schauspielhaus bauen. Luther zum Andenken – Luther und ein Andenken! Es kommt noch dazu, daß sie dem lieben Gott eines setzen – wollten sie vor mehreren Jahren in Eisleben eine Art Findelhaus gründen, und Goethe sollte in seiner Vaterstadt einen Tempel der Vesta haben; er war schon in Kupfer gestochen. Können die dramatischen Dichter besser sein? Und wären sie es, und spielten sie aus dem Tone der Zeit, es würde nichts helfen. In Tirol ist Immermanns *Trauerspiel von Tirol*, wie uns Heine erzählt, selbst zum Lesen verboten. Ist ganz recht; die Tiroler könnten das Jodeln darüber verlernen, und die guten

Wiener hätten ein Vergnügen weniger. Kein Schauspieldirektor denkt daran, unter den Tausenden von Stücken eines zu wählen, das für den Tag paßt. Doch ja, in den ersten Wintertagen spielen sie überall den *Graf Benjowsky*, weil eine Schneedekoration darin vorkommt. Das ist aber auch die ganze Huldigung, die man dem Geiste der Zeit bringt. Das Volk ist nicht besser. Denkt denn *einer* bei Raupachs *Rafaele* an die Griechen? Neulich war ich ein Narr. Ich sah Lessings *Minna von Barnhelm* aufführen. Darin sagt der Wachtmeister Werner: »Unsere Vorfahren zogen fleißig wider den Türken, und das sollten wir noch tun, wenn wir ehrliche Kerls und gute Christen wären.« Varna war gerade an die Russen übergegangen, und ich dachte: Jetzt geht der Lärm los!... O, mein Gott! kein Goldfingerchen hat sich gerührt. Ja, es war stiller als vorher; es schien, als hätte der Atem des ganzen Hauses gefürchtet, irgendeine Teilnahme zu verraten. Dieses geschah freilich in Hannover; aber Hannover ist nur der Titel des Landes; ganz Deutschland ist hannövrisch. Der Teufel mag Komödien schreiben für solche Menschen!

Ich wollte, daß ich auch sagen könnte: wer mag vor solchen Menschen *spielen*! Aber, warum nicht gut spielen? Das Drama sei, wie es wolle, der Zuschauer sei, wie er wolle, gut spielen ist immer möglich und wird immer empfunden und mit Dank aufgenommen. Vielleicht kann man den niederen Stand der deutschen Schauspielkunst erklären, aber zu entschuldigen ist er gewiß nicht. Und wenn man die zwanzig guten Schauspieler und Schauspielerinnen, die Deutschland vielleicht hat, versammelte und sie auf einer Bühne, im nämlichen Stücke, auftreten ließe, es würde doch nicht gut gespielt werden. Jeder bekümmert sich nur um seine Rolle, keiner um das Ganze, keiner um die Rolle des Mitspielenden. Warum sind die Orchester gewöhnlich gut, obzwar deren Mitglieder gewiß nicht alle Künstler sind, die fühlen und verstehen, was sie vortragen? Es kommt daher, weil sie in Ordnung gehalten werden, weil sie aus einem Takte, einem Tone spielen. Könnte man die Schausieler nicht auf gleiche Weise leiten? Könnte man ihnen nicht Ton, Takt, Temperatur vorschreiben? Könnte nicht der Regisseur hinter den Kulissen mit einem Stäbchen kommandieren und das Zeichen geben, wenn geschrien oder gelispelt, langsam oder geschwind gesprochen, wenn der Kopf hängen oder sich gerade halten, der rechte oder der linke Arm sich bewegen soll? Die Schauspieler verstehen gewöhnlich das Stück und ihre Rolle nicht. Gebt ihnen Shakespeares *Hamlet*, und sie machen aus Hamlet einen Helden, aus dem Könige einen Schuft, aus Polonius einen Einfaltspinsel und Ophelia zur Schwärmerin. Man sollte bei jedem Theater einen Dramaturgen anstellen, der jedes neue Stück und die einzelnen Rollen darin den Schauspielern kritisch erläuterte. Die Bessern unter ihnen würden dadurch belehrt und ausgebildet, und bei denen von minderer Fassungskraft wenigstens das gewonnen werden, daß sie den Bau und Zusammenhang des neuen Stücks, daß sie es räumlich kennen lernten. Das wäre schon Vorteil genug. Man hat mir von Schauspielern erzählt, die schon zwanzig Jahre in einem Stück aufgetreten sind, ohne dessen Ausgang zu kennen, weil sie lange vor demselben abzutreten haben und sie immer, die Zeit nicht zu verlieren, gleich ins Weinhaus gingen... Warum keine *Theaterschule*?... Doch das würde uns hier zu weit ablenken.

Ich habe auch einige Bemerkungen über schauspielerische Darstellungen – jedoch ohne Namen zu wiederholen – aus alten Blättern in diese Sammlung aufgenommen. Es geschah der Buße wegen; denn wahrlich, wenn ich an meine ehemaligen Beurteilungen der Schauspieler mich erinnere, möchte ich Asche auf mein Haupt streuen und meine Kleider zerreißen. Ich habe jenen guten Menschen sehr wehe getan. Die Beurteilungen bezogen sich alle auf die Bühne meines Wohnorts. Ich war damals noch fremd in der Theaterwelt, sah, daß schlecht gespielt wurde, und dachte, das wäre unserer Bühne eigentümlich. Das Repertoire fand ich erbärmlich, und ich wähnte, das sei allein bei uns so. Als ich aber auch andere Bühnen kennen gelernt, erfuhr ich, daß es nirgends besser sei, ja an vielen Orten noch schlechter als bei uns. Ich bitte darum die Herren und Damen, welchen ich einst zu nahegetreten, herzlich um Verzeihung. Mein Urteil war eine Art Kriegsgericht, es war ein Dezimieren; sie bekamen die bösen Würfel, aber hundert andere waren schuldiger als sie.

Mit gutem Vorbedachte habe ich an die Spitze meiner gesammelten Schriften diese dramaturgischen Blätter gestellt, sie sind ihre Furiere, sie sollen ihnen Quartier machen. O! Ich sehe es schon im Geiste: man wird an das Fenster laufen, wenn ich vorübergehe, man wird vielleicht an manchem Orte mir die Pferde ausspannen. Was kann man Schöneres, was kann man Glorreicheres tun als über Theater sprechen und schreiben? Wenn der

Knabe die Schule verläßt, spricht und schreibt er von *Leistungen* unserer Schauspieler; dann bekommt er die Toga, und der deutsche Bürger ist fertig. Der *Messager des Chambres*, das Blatt der französischen Regierung, hat am Schlusse dieses Jahres in seiner Übersicht der europäischen Politik unseres Vaterlandes nicht mit einem Worte erwähnt. In diesem Jahre soll das anders werden! Man wird von uns berichten: »In Deutschland sind im verflossenen Jahre zwei neue Bände Theaterkritiken erschienen, und viele Dienstjubiläte sind gefeiert worden.« Vorigen Sommer im Bade, als mich mein Barbier zum ersten Male unter seinem Messer hatte, brachte mir der Kellner einen Brief; jener schielte nach der Adresse, und gleich fühlte ich das Blut an meinem Gesichte herabrieseln. »Gott, Gott!« – sprach der Mensch – »Sie haben den schönen Aufsatz von der *Sontag* geschrieben? Wir haben uns bald buckelig darüber gelacht.« Vor Überraschung und aus reiner Hochachtung hatte er mir einen Schnitt gegeben. Wäre ich gar der Vater der großen Sontag gewesen und die Adresse hätte es ihm entdeckt, ich lebte nicht mehr, er hätte mir aus Ehrfurcht den Hals abgeschnitten. Geht nun, geht! Ergötzt die Barbierer und die Barbierten und macht mir Ruhm!

Hannover, im Januar 1829.

Brief an Johann Friedrich von Cotta
(1821)

An Johann Friedrich v. Cotta

Frankfurt, den 10. März 1821

Ew. Hochwohlgeboren

muß ich um Entschuldigung bitten, daß ich für den verflossenen Monat keinen Bericht in das Morgenbl. überschicke. Es hat sich hier so wenig ereignet, daß ich keine 10 Zeilen damit anfüllen könnte, und es ist besser, daß ich dieses wenige auf den nächsten Monat erspare.

Ich will Ihnen Ihrem Wunsche gemäß meine Ideen über ein zu unternehmendes literarisches Tagblatt kurz vorlegen. Da es hierbei aber, wie überall, nicht bloß auf die Entwürfe, sondern auf die *Ausführung* dieser Entwürfe ankömmt, diese Ausführung aber von Persönlichkeiten abhängt, so bin ich genötigt, von mir zu sprechen, zu sagen, wie *ich* es machen würde und anzunehmen, daß Sie bei einem solchen liter. Blatte an mich als Redakteur gedacht haben. Meine Absicht wäre eigentlich nicht, die erscheinenden Schriften ihrem Werte oder Unwerte nach zu beurteilen und daraus das Belehrende oder Unterhaltende mitzuteilen; dieses würde zwar geschehen, aber nur zufällig und der Form wegen, es wäre aber nicht der Zweck. Der Zweck des Blattes müßte sein, die Literatur mit dem Leben, d.h. die Ideen mit der wirklichen Welt zu verbinden.* Diese Verbindung geschieht auf zweierlei Art, indem man entweder vom Buche zum Leben herab- oder vom Leben zum Buche hinaufsteigt. Erscheint ein Werk, es sei nun gut oder schlecht, so würde es der *Form* nach rezensiert werden, dem *Wesen* nach würde gezeigt werden, wie die darin ausgesprochenen Ideen mit der wirklichen Welt in Verbindung stehen oder in Verbindung gesetzt werden können, oder wie die Ausführung solcher Ideen schädlich wäre. Jede Wissenschaft wie jede Kunst hat eine Seite, wo sie alle Menschen anspricht, und diese müßte berührt werden. Das hieße nicht *oberflächlich* und im *Konversationstone* davon sprechen, wie es Kotzebue getan, sondern *den* Punkt der Wissenschaft oder der Kunst berühren, wo sie an das Leben sich knüpft. *Geschieht* aber etwas, das allgemeine Teilnahme erregt, so würde man von dem Ereignisse zu ihrer Idee hinaufsteigen. Erschiene z.B. eine neue Übersetzung des Calderon, so würde man auf die politischen Verhältnisse Spaniens *auf dem Wege* übergehen, indem man bespräche, wie die romantische Poesie mit absoluter Monarchie in Verbindung steht und wie heutzutage kein Calderon in Spanien entstehen könnte. Ereignet sich eine Revolution in Neapel, so würde man von aller eifernden Parteilichkeit, von den wechselnden Tagsbegebenheiten, von Wünschen oder Verwünschungen abstehen und von der Sache sprechen, als wäre sie ein Buch. Auf diese Weise die Literatur und die Tagsgeschichte zu behandeln, heißt: zugleich einer Schwäche und einer Tugend des deutschen Volkes schmeicheln. Unsere Schwäche ist Pedanterie, und daß wir über die Grundsätze die lebendigen Folgen vergessen. Unsere Tugend ist, daß wir nicht, gleich den Franzosen, uns von Leidenschaften verblenden lassen und im wärmsten Kampfe an Recht und Wahrheit denken. Also meine Absicht würde sein, der Metaphysik, die in allen deutschen Büchern sich findet, selbst wenn sie nur von Kartoffelbau handeln, einen lebendigen Körper zu geben, die lebende Geschichte der Zeit aber metaphysisch zu besprechen.

Was die Literatur im eigentlichen Sinne betrifft, so würde ich noch etwas in das Blatt hineinziehen, was Kotzebue u. Brockhaus vernachlässigt haben, nämlich die ältere und die ganz alte Literatur. Man hat in Deutschland zwar eine gewisse Ansicht von Rousseau, Voltaire, Lessing, Goethe, Jean Paul u. anderen, aber von jedem ihrer einzelnen Werke herrscht kein allgemein geltendes Urteil. Ich glaube, es müßte sehr interessant sein, den Maßstab der neuern Zeit an die Werke der ältern zu legen. Wie wäre jetzt Wilhelm Meister, Titan, La Pucelle, die Eloïse, Lessings Dramaturgie zu beurteilen? Man müßte diese Werke besprechen, als wären sie erst erschienen, sich um die geschlossene Meinung über jene klassischen Schriftsteller gar nicht bekümmern und erst dann, wenn die Meisterwerke eines Schriftstellers nach und nach behandelt worden, ein allgemeines Urteil über ihren Wert fällen und es darauf ankommen lassen, ob dieses Urteil einer neuen Instanz mit dem frühern übereinstimme oder davon abweiche. Die Literatur der Griechen und Römer ist in Deutschland bloß Zunftsache. Die Menge kennt sie nicht. Warum sollte man die Gelegenheit neuer Übersetzungen nicht benutzen, um diese Literatur in unser Leben einzuführen? Es erscheint jetzt eine Übersetzung des Aristophanes von Voß. Wenn eine solche besprochen und angepriesen würde, nicht bloß wegen ihres philologischen Wertes, sondern wegen ihrer unterhaltenden Art, so kann man sicher die Leute dahin bringen, daß sie in Lesebibliotheken so eifrig nach diesen Lustspielen als nach Kotzebue fragen. So auch mit Virgil, Terenz, Sophokles, Horaz. Das wäre ohngefähr meine Ansicht vom Liter. Blatte.

Hochachtungsvoll
Dr. Börne

Einige Worte über die angekündigten Jahrbücher der wissenschaftlichen Kritik
herausgegeben von der
Societät für wissenschaftliche Kritik zu Berlin
(1826)

Was diese meine Blätter enthalten werden, das weiß der allwissende Gott jetzt schon; ich aber weiß es noch nicht. Nur so viel sehe ich in die Ferne, daß, was ich auch sagen dürfte, der Leser

sich doch immer meine Angst und die Wichtigkeit nicht wird erklären können, die ich auf die Ankündigung jener *Berliner Jahrbücher* gelegt habe, und daß er fragen wird: hat der Verfasser dieser Blätter vielleicht mehr gedacht als gesagt, und welche Absicht
hatte er, als er sie geschrieben? Um diese zu erfahren, darum
schreibe ich sie eben; der Leser soll mir sagen, was ich gewollt. Ich
habe die Feder ohne Überlegung in die Hand genommen, nicht
ein klarer Gedanke, ein dunkles Gefühl hat mich angetrieben. O
ich bitte, zürne und spotte keiner hierüber! Sage mir, Leser, wenn
dir träumte, dein Freund sei in Gefahr und jammere nach deiner
Hülfe, würdest du nicht aufspringen von dem weichen und warmen Bette und zum Beistande des Freundes eilen? Und wenn unter tausend Traumgestalten, die gelogen, auch je nur einmal ein
warnender Gott erschienen – würdest du kalt die tausend Täuschungen berechnen und eitel die kleine Gefahr, verlacht zu werden, mit der des Freundes messen? Nein, das tätest du gewiß
nicht. Nun wohl, ich hatte einen solchen Traum. Geträumt nur?
Nein, es war mehr. In dem Buche eines Arztes habe ich gelesen,
es gäbe Menschen mit so reizbaren Nerven, daß sie eine Wolke
am heitern Himmel, die sie nicht sehen, fühlen könnten. So reiz-
barer Art bin ich auch. Es steht eine Wolke am reinen Himmel
der deutschen Wissenschaft; ich sehe sie nicht, aber ich empfinde
sie. Den Vorwurf, daß ich kränklich sei, will ich gern ertragen,
hört man nur auf das, was ich sage.

Deutsche Rezensionen lassen sich in der Kürze mit nichts treffender vergleichen als mit dem Löschpapiere, auf dem sie gedruckt
sind. Ach, man kennt ja dieses Löschpapier und das, was darauf
steht! Es löscht den Durst nicht, es ist selbst durstig. Und doch
rühmen sich die Deutschen, die besten Kritiker zu sein! Sie sind es
auch, nur daß sie nicht wissen, sich als solche geltend zu machen,
wie sie überhaupt nicht verstehen zu zeigen, was sie haben, und zu
scheinen, was sie sind. Die Natur hat die Deutschen zum Denken
und nicht zum Schreiben bestimmt, und blieben sie ihrer Bestimmung treu, würden sie ihre Gedanken roh ausführen und sie von
Franzosen und Engländern verarbeiten lassen. Wenn in Frankreich Bettlergedanken sich immer schön und sauber kleiden und
darum Zutritt in guter Gesellschaft finden, hüllen sich die reich-
sten deutschen Geister in Lumpen ein, finden alle Türen verschlossen und werden von jedem unverschämten Hofhunde aus-

gebellt. Der Deutsche kann kein Buch machen. Ein gutes Buch, ein Buch, wie es sein soll, muß des Titelblattes entbehren können. Nun versuche man es mit einem deutschen Werke, ob man ohne das Titelblatt seinen Inhalt und seine Bestimmung erraten kann. Es sind Baumaterialien, die besten oft, Marmorblöcke, Säulen, Acajouholz, Teppiche, Kristallspiegel, schöne Gemälde; aber es ist kein fertiges Haus. Und ist ja ein Haus daraus geworden, und es ist wohnlich und bequem, so hat man die Außenseite vernachlässigt, und kein Vorübergehender wird gelockt, hineinzugehen und das Haus zu sehen und zu kaufen. Vornehme Berliner Gelehrte ruhen hinter Lehmwänden auf seidenen Polstern, während Pariser Lumpengesindel durch hohe Marmorportale zu seinem Strohlager trippelt. So schlimm ist es mit Büchern; mit Zeitschriften, also auch mit kritischen, ist es noch schlimmer. Es gibt kein kritisches Blatt in Deutschland, das verdiente, sein eigner Gegenstand zu werden. Woher das Übel? Der deutsche Gelehrte betrachtet sich als einen Staatsbeamten. Seine Bücher sind ihm Akten, seine Studierstube ist ihm eine Kanzlei, seine Wissenschaft ein Geheimnis. Er hat es geschworen, den Verstand zu Hause zu lassen, sooft er ausgeht, nämlich sooft er schreibt für die Menge. Treibt ihn nun ja einmal Not oder Laune an, für das Volk mit Verstand zu schreiben, macht er es eben wie jene Beamte, welchen er gleicht. Diese haben über dem Gebrauch der Macht den der Rede verlernt, und kommt einmal eine Zeit, wo Drohung nichts wirkt, wo nur Überredung wirken könnte, stehen sie unbehülflich da, grinsen, wenn sie bitten, sind ohne Grazie, wenn sie schmeicheln, und lächerlich, wenn sie rühren wollen. Die deutsche gelehrte Welt ist ein Freistaat, und sie wird auch einer bleiben, allen Triumviraten zum Trotze. Da aber in einem Freistaate weder monarchischer noch aristokratischer Einfluß gestattet ist, so bleibt denen, welchen die Natur selbst den Herrscherstab in die Hand gegeben, nichts anderes übrig, ihre Rechte geltend zu machen, als daß sie Demagogen werden und das Volk durch Lehre und Beispiel zu leiten suchen. Aber dieses zu tun, unterlassen die vornehmen deutschen Gelehrten, die einen aus Stolz, die andern aus Feigheit. Sie fürchten das literarische Volk, und verachten es. Aber indem sie es fürchten, machen sie es furchtbar, indem sie es verachten, verächtlich. Darum ist in Deutschland der literarische Pöbel so herrschend, darum füllt er mit seinen Haufen den Markt der Zeitungen aus und bedeckt mit seinem Geschreie jede

Stimme der Wahrheit und des Rechtes. Es ist die Schuld derer, die durch ihre eitle Absonderung das Volk zu Pöbel gemacht. In Deutschland nehmen die bessern und besten Köpfe keinen Teil an Zeitschriften. Warum tun sie es nicht? Ich frage die unbekannten Mitglieder der so geheimnisvollen Berliner Societät für Kritik, warum sie nicht schon früher kritisiert? sie versprechen jährlich hundertundzwanzig Bogen zu schreiben; diese hätten hingereicht, allen schon bestehenden kritischen Zeitschriften einen Wert zu geben, die schlechten Kritiker ins Dunkel zu setzen, sie zurückzudrängen oder auch durch Lehre und Beispiel sie zu bessern. Ob aber durch eine geschlossene Societät, ob durch den Glanz einer kritischen Residenz das arme platte Land der deutschen Kritik bereichert werden wird, das wollen wir jetzt untersuchen.

Ich hasse jede Gesellschaft, die kleiner ist als die menschliche. Unterwirft man sich dem Staate, so ist dieses eine traurige Notwendigkeit; aber man soll sich nicht mehr unterwerfen, als man muß. Nichts ist betrübter und lächerlicher zugleich, als die kranke Lust, welche besonders die Deutschen haben, sich freiwillig einzupferchen und aus Furcht vor den seltenen Wölfen sich täglich den Launen des Schäfers und seinen unvermeidlichen Hunden preiszugeben. Nur allein die deutschen Gelehrten – und das gereicht ihrem Geiste und ihrem Herzen zu Ruhme – haben bis jetzt ihre Unabhängigkeit zu behaupten verstanden. Sie haben, weder aus Übermut noch aus Feigheit, weder herrsch- noch schutzbegierig, die unbezahlbare Freiheit hingegeben. Haben denn gelehrte Gesellschaften je Nutzen gebracht? Sie haben nur immer geschadet. Die Wissenschaft haben sie aufgehalten und den Leidenschaften freien Lauf gelassen. Nicht den edlen Leidenschaften, welche, gleich Wein, alle Kräfte aufregen und jede Bewegung rascher machen; sondern den unedlen, narkotischen, die betäuben, verwirren, einschläfern und damit endigen, jede Kraft zu zerstören. Wenn hundert Gelehrte ihre Seelen in eine gemeinschaftliche Kasse legen, lacht der Teufel; denn mit einem Griffe holt er sie dann alle hundert. Eine solche Gesellschaft hat sich in Berlin gebildet, und zwar eine für Kritik; sie hat sich angekündigt. Man täusche sich über jene Ankündigung nicht. Sie gleicht nicht den gewöhnlichen Ankündigungen, die allen literarischen Unternehmungen vorausgeschickt werden, wo man auch immer von einem allgemein und dringend gefühlten Bedürfnisse redet, wo man auch verspricht, dem Bedürfnisse abzuhelfen, es aber nachher macht wie alle und es gehen läßt, wie es Gott gefällt – nein, jene Ankündigung ist sehr bedächtig, in sehr abgemessenen Reden abgefaßt, und es ist eher zu fürchten, daß sie mehr als daß sie weniger halte, als was sie versprochen, und daß der Vorteil, die guten Köpfe anzuziehen, den Nachteil, sie abgezogen zu haben, nicht vergüten werde. Kurz, um es geradeheraus zu sagen, ich fürchte, die Berliner Gesellschaft möchte die bisherige Freiheit der deutschen Kritik, und als Folge die der Wissenschaft überhaupt, gefährden, und vor dieser Gefahr will ich warnen.

Die Societät will die Kritik auf Aktien betreiben und alljährlich nach Verteilung der Dividende *ihren Statuten gemäß* von ihrem Verfahren Rechenschaft ablegen. Aber was enthalten diese Statuten? Warum werden sie nicht bekanntgemacht? Moses auch hatte seine Gesetzestafeln von dem Wolkengipfel des Berg Sinais herabgebracht, und keiner wußte, von wem er sie erhalten; aber er machte den Inhalt der Gesetze bekannt, und so konnte jeder urteilen, ob sie von Gott gegeben. Die Berliner Societät aber hält ihre Statuten geheim. In welche Lage werden nun die externen Gelehrten kommen, die, ohne in die Gesellschaft aufgenommen zu werden, sich ihr anschließen? Sie werden eine Art dienender Brüder sein, die nicht alles wissen, die man aber alles zu tun verpflichten wird, was die Zwecke der Allwissenden befördern soll. Zu wissenschaftlichen Zwecken verbundene Männer sollen nichts Gemeinschaftliches haben als Fähigkeit, guten Willen und das Papier, auf dem sie drucken lassen. Was sie noch außerdem verbindet, ist als Freiheit beschränkend zu verwünschen, und es wird nach innen auf die Gesellschaft, nach außen auf die Wissenschaft verderblichen Einfluß haben.

Leise, doch richtig wurde in der Ankündigung der Tadel ausgesprochen, den die in Deutschland übliche Kritik lauter verdient hätte. Aber die Kritik ist eine Frucht der Wissenschaft, und jede Veredlung, die man beabsichtige, müsse mit letzterer anfangen. Was fehlt dieser nun? Nichts als frische Luft. Ihr fehlt der Sinn für die Öffentlichkeit, der ihr aus Mangel an Übung abgestorben. Ihr fehlt feine Sitte, Gewandtheit, Anstand, Mut und Gegenwart des Geistes. In Deutschland schreibt jeder, der die Hand zu nichts anderem gebraucht, und wer nicht schreiben kann, rezensiert. Nichts ist verzeihlicher als das, es ist jeder berechtigt, über alles, was alle angeht, seine Stimme zu geben. Nur fehlt es an einer öffentlichen Meinung, an einer Urne, worin alle Stimmen zu sammeln wären, daß man sie zählen könne. Diese herbeizuschaffen, die Stimmen für das Rechte zu gewinnen und die Abstimmung zu leiten, dazu sollte sich eine Gesellschaft bilden, nicht aber zu dem bloßen Zwecke, die Stimmen zu vermehren. Und die Berliner Societät, abgeschlossen, umregelt und monarchisch wie sie ist, und mögen noch so viele, noch so achtungswürdige Männer sich ihr anschließen, wird das kritische Geschrei doch nur mit *einer* Stimme vernehmen, und die Bauchrednerei mannigfaltiger Akzente wird nur Unkundige, und nicht lange, täuschen.

Die Societät will nur solche Schriften beurteilen, »die in irgendeiner Richtung bedeutend sind und eine Stelle in der Geschichte der Wissenschaften einnehmen«. Durch dieses Verfahren würde künftig jedes neue Werk schon durch die bloße Anzeige in den Berliner Jahrbüchern sich ausgezeichnet, schon durch deren Stillschweigen sich zurückgesetzt sehen – eine schnelle, aber scharfe Art zu richten! Kann die Societät blindes Vertrauen auf die Billigkeit solcher Urteilssprüche fordern, die kein Entscheidungsgrund begleitet? Ja, das könnte sie, wären die Mitglieder, die sie bilden, frei; da sie es aber nicht sind, sondern, wie wir schon angedeutet haben und noch klarer erörtern werden, einer monarchischen Regel unterworfen – so kann die Societät jenes Vertrauen nicht erwarten. Übrigens ist es sehr zu fürchten, daß wenn nur solche Werke beurteilt werden sollen, die eine Stelle in der Geschichte der Wissenschaften einnehmen, die versprochenen hundertundzwanzig Bogen jährlich nicht möchten ausgefüllt werden können. Die *Geschichte* der Wissenschaft, das heißt ihr *Wachstum*; aber die deutsche Wissenschaft ist ausgewachsen, sie wächst nur noch in die Breite, und da sie täglich dicker und dicker wird, viele Nahrung zu sich nimmt und sich gar keine Bewegung macht, so ist wohl zu besorgen, daß sie einmal in ihrem Lehnstuhle der Schlag rühren möchte und daß sie das viele schöne Fett nur für die Würmer wird aufgehäuft haben.

Unsere kritischen Hauptstädter wollen sich in Klassen teilen, je nach den Fächern der Wissenschaft, und jede Anzeige wird, vor der Zulassung zum Drucke, *die Genehmigung der betreffenden Klasse erhalten und mit dem Namen des Verfassers versehen sein müssen.* Ich gestehe es frei – früher konnte ich es nicht gestehen, da es mir während dem Schreiben erst selbst klar geworden – daß dieses der Punkt ist, der meine Gefühle aufgeregt und sie gegen jene Anstalt so feindlich gestimmt hat. Die Vernunftgründe, meine Abneigung zu verteidigen, habe ich erst später gesucht und, wie ich denke, auch gefunden. Ich begreife nicht, wie die Berliner Societät hoffen durfte, unter freien deutschen Gelehrten Männer zu finden, die sich einen solchen Zwang freiwillig gefallen ließen; doch hätte sie sie dennoch gefunden – nun, dann freilich begreife ich ihre Zuversicht. Die Mitglieder jener Societät haben sich nicht genannt; doch sind es ganz gewiß sehr achtungswerte Männer, die Bedacht genommen haben werden, sich unter den fremden Gelehrten nur gleichbegabte, gleichgesinnte zuzugesellen. Ist dieses aber geschehen und sind die Männer bewährt, wozu dann noch jene beleidigende Vorsicht, wozu jene freiheitbeschränkende Zensur? Sie sagen, es geschähe: »damit Willkür und Nebenrücksicht ausgeschlossen bleibe«. Allein wenn zu wählen ist zwischen der Willkür eines einzelnen und der Willkür einer Klasse, so ist die erstere zu wählen. Der einzelne hat seine Leidenschaften, aber sie wechseln, und er wird oft, was er aus Laune gefehlt, aus Laune wieder gutmachen, wenn es nicht aus Tugend geschieht. Aber die Leidenschaften einer Klasse wechseln nicht. Der Eigensinn einer Gesellschaft taut niemals auf, und da sie, wie den Gewinn, den sie beabsichtigt, auch die Schuld unter sich teilt, die auf ihr liegt, so hat sie kein Gewissen, und sie kennt die Reue nicht. Alle ihre Fehler sind unverbesserlich. Wer bürgt uns für die Unparteilichkeit der Berliner Societät, wenn sie die Kritik eines ihrer Mitarbeiter verwirft? Vielleicht war es nicht die Unbedeutendheit der beurteilten Schrift, vielleicht war es nur ihre eigentümliche Bedeutung, die man nicht wollte aufkommen lassen – vielleicht war es nicht die verwerfliche Darstellung des Kritikers, vielleicht war es die eigene, herrschsüchtiger Regel nicht zusagende Art der Darstellung, warum die Anzeige zurückgewiesen worden. Man weiß ja, wie eine Gesellschaft gleich der, von welcher wir hier sprechen, sich bildet. Der schaffende Gedanke entspringt aus einem Kopfe; es wird ein guter, ein enzyklopädischer Kopf sein, einer der das ganze Reich der Wissenschaften übersieht und jeder einzelnen Lage und Grenzen kennt. Aber mit diesem enzyklopädischen Kopfe wird auch ein enzyklopädisches Herz verbunden sein, das zwar alle Tugenden in sich schließen, aber auch das ganze Alphabet der Leidenschaften enthalten kann. Ein solcher Stifter wählt sich gleichgesinnte Anhänger, diese wählen andere, und so wird *ein* Gedanke, der alle beherrscht und dem alle, die sich dem Kreise anschließen, sich unterwerfen müssen.

Jede Kritik soll mit der Unterschrift des Verfassers versehen sein müssen. Warum dieser Zwang? Es wäre wohl gut, wenn es freiwillig geschähe. Ich habe nie begreifen können, wie man schreiben, wie man kritisieren mag, ohne sich zu nennen. Es ist so etwas Unbehagliches, so etwas Gespenstisches darin. Ach, ich habe auch geschrieben und gekrittelt, aber ich habe zur Buße mich immer genannt, und wenn ich aus Laune oder Unachtsamkeit meinen Namen verschwieg, ging ich immer schwermütig umher, als hätte ich ein zweites Verbrechen begangen. Aber ich bedenke auch, daß ich frei bin, weder Weib noch Kinder habe, und daß die Rache, die jede ungefällige Wahrheit, wenn auch nicht immer trifft, doch immer bedroht, nur mich allein hätte treffen können. Doch nicht jeder ist so frei, viele deutsche Gelehrte leben in Verhältnissen der Dienstbarkeit, sie haben Familien, und keiner ist verpflichtet, ja vielleicht nicht berechtigt, andere sich allein der guten Sache aufzuopfern. Wenn jeder deutsche Schriftsteller sich nennen müßte, würde manches verschwiegen bleiben, was, kund geworden, sehr ersprießlich gewesen wäre. Die Teilnehmer an den vortrefflichen *Wiener Jahrbüchern der Literatur* nennen sich auch nicht, sie müssen es wenigstens nicht – warum will man die Mitarbeiter an den Berliner Jahrbüchern dazu zwingen? Ist Furcht etwa keine so gute Entschuldigung, als Scham es ist? Wenn es geheime Diener des Bösen gibt, warum will man keine geheimen Diener des Guten dulden?

Es ist alles bedacht, alles bestimmt worden bis auf den Ton, bis auf den Takt, in welchem jede Kritik für die Berliner Jahrbücher vorgetragen werden soll. Es wird der Ton »durchaus nicht anders als gehalten und der Würde der Wissenschaft angemessen sein«. *Gehalten!* Was heißt das? Heißt das jener ausgehaltene, zähe Viervierteltakt, von dem wir nur schon zuviel ausgehalten? Tut eine solche Erinnerung not? Wäre nicht dringender, den Gelehrten *presto, presto* zuzurufen? Wäre nicht gut, wenn die deutschen Federn den schleichenden Menuett ihren Voreltern überließen und etwas walzten? Die *Würde der Wissenschaft!* Nun freilich, Würde soll sie haben, aber nur keine Standeswürde. Doch würdig macht sie nur der Wert, den sie hat, nicht der Schein, den sie annimmt. Ernst soll die Wissenschaft sein und das Leben auch; aber nicht ernsthaft. Nur zu ernsthaft ist sie in unserm Vaterlande, und es wäre gut, sie lächelte ein wenig. Der Bart macht den Gelehrten nicht ehrwürdig, er macht ihn nur lächerlich, und eine große Summe seines Wertes geht darin auf, daß er seine lächerliche Erscheinung damit loskaufen muß. Was bezweckt die Berliner Societät mit ihrer Stilordnung? Doch nicht, die Wissenschaft zu isolieren gleich ehemals? Dann wäre ihre Täuschung groß, und ihre Enttäuschung würde bitter sein. Wahr ist es, die deutsche Wissenschaft konnte sich nur darum zu solcher Kraft und Freiheit entwickeln, weil sie einsam und verborgen lebte. Ungeachtet, weil unbemerkt, hielt sie Furcht und Argwohn, Haß und Verfolgung von sich fern. Aber die Not der Zeit hat sie ins Freie gerufen, sie hat sich im Felde des Lebens versucht, man lernte sie kennen, fürchten und hassen. Nun hofft sie vergebens, wenn sie das Feld räume und in ihre vorige Einsamkeit zurückkehre, auch die vorige Ruhe und Bequemlichkeit wiederzufinden – man wird sie bis in ihre Feste verfolgen, und nur erst auf deren Trümmern wird der Argwohn seinen alten Schlaf wiederfinden. Darum bekämpfe sie den Feind; ihn zu beschwichtigen, ist zu spät geworden.

Die kritische Gesellschaft spricht am Schlusse ihrer Ankündigung die Hoffnung aus: es dürfte »eine neue, eben unter bedeutenden Auspizien aufblühende Anstalt in der Folge auch mit ihren Kräften die Societät verstärken«. Ich denke, damit ist *München* gemeint, und wünsche mich zu irren, wenn ich dieses denke. Es wäre nicht gut, es wäre wahrlich nicht gut, wenn jene neue Anstalt nicht ihren eigenen Weg einschlüge und fremder Führung folgte. Die Münchner Professoren werden sich bedenken, sie werden überlegen, wie es den Enten erging, welchen Münchhausen nachgestellt. Dieser band einen guten Bissen an eine Schnur; die erste Ente verschlang den Bissen und zog die Schnur nach und gab beides hinten wieder von sich. Die zweite Ente verschlang den nämlichen Bissen und machte es weiter so. Dann kam die dritte, die vierte Ente; so eine nach der andern. Nachdem die letzte angebissen, zog der kluge Jäger die Schnur an sich, hockte die ganze Herde auf seinen Rücken und trug sie mit Leichtigkeit fort. Da zappelten, da flatterten, da schnatterten sie – zu spät; sie hingen, sie hatten sich fest gefressen. Doch das waren dumme Enten; Gelehrte aber haben Verstand, und ehe sie nach einer Lockspeise schnappen, sehen sie zu, ob kein *Bindfaden* daran befestigt.

II.

Hamlet
Von Shakespeare
(1828)

Unter den Schauspielen des britischen Dichters, die sich nicht in der Geschichte oder Fabel Englands bewegen, ist *Hamlet* das einzige, das nordischen Boden und nordischen Himmel hat. Der naturkundige Shakespeare verstand es gut und achtete wohl darauf, welche Luft am gedeihlichsten sei für jede seiner Menschenarten. Dem bunten Scherze, der flatternden Freude, der entschiedenen Leidenschaft, der hellen, scharf umgrenzten Tat gab er den blauen sonnigen Süden, wo die Nacht nur ein schlafender Tag ist; den wehmütigen, brütenden, träumerischen Hamlet versetzte er in ein Land des Nebels und der langen Nächte, unter einen düstern Himmel, wo der Tag nur eine schlaflose Nacht ist. Gleich dem Nord, dem feuchten Kerker der Natur, hält uns dieses Trauerspiel gefangen, und es erquickt uns wie der Sonnenstrahl, der durch einen Ritz der Mauer in das Dunkel dringt, wenn, wie es einmal geschieht, wir das warme Wort »*Rom*« und das helle »*Frankreich*« darin vernehmen.

Die genauesten Schätzer, wie die wärmsten Freunde des Dichters haben Hamlet als sein Meisterwerk erklärt. Wir müssen die Grenzen dieser Meinung suchen. Hamlet ist nicht das bewunderungswürdigste Werk Shakespeares; aber Shakespeare ist am bewunderungswürdigsten im Hamlet. Nämlich: erstaunen wir über eine ungewöhnliche Kraft, geschieht es nicht, wo ihre Wirksamkeit beginnt, sondern diese aufhört; denn nur die Ausdauer einer Kraft zeugt von deren Größe. So hier. Durchwandern wir die glänzende Bahn des Dichters und kehrt am Ziel unsere Bewunderung ermüdet um, finden wir Hamlet auf dem Rückwege, den wir nicht erwartet. Shakespeare mußte sich verdoppeln, mußte aus sich heraustreten, ihn zu schaffen, er hat darin sich selbst überholt. Aber dieses ist nicht gesagt in der rednerischen Sprache der Lobpreisung, sondern in der nüchternen der Betrachtung. Hamlet ist eine Kolonie von Shakespeares Geiste, die unter einer andern Zone liegt, eine andere Natur hat und von ganz andern Gesetzen regiert wird als das Mutterland.

Shakespeare ist ein Naturgläubiger, ein Naturweiser. Sein Gott ist ein offenbarter Gott, die Abspiegelung der Welt im menschlichen Geiste ist seine Weisheit. Was er uns zeige, Himmel und Erde, Hölle und Paradies, Leben und Tod, er läßt es erscheinen als freundlich-menschliches Gesicht. Alles atmet, alles lebt, und der Tod ist nur das Hauptbuch über Einnahmen und Ausgaben des Lebens. Ganz anders Hamlet; da ist alles mystisch. Überall sonst tritt der Heroismus hervor, bei Hamlet steht die blöde Genialität im Hintergrunde. Da ist die Nachtseite, die weibliche Natur des Lebens, das Empfangende, Gebärende, da hören wir die Wehen der Schöpfung. Sonst überall bei Shakespeare *erscheint* die Philosophie und gestaltet sich als Erfahrung; im Hamlet verschwindet die Erfahrung und steigt als Dunst der Philosophie zum Wolkenhimmel auf. Alle andere Charaktere des Dichters sind konvex und bilden Brennpunkte; Hamlet ist der einzige konkave Charakter, dessen Strahlen divergieren. Alles sonst, auch das Furchtbarste, das Gräßlichste erscheint im Sonnenlichte. Bei Hamlet erschreckt selbst der Scherz; denn ihn bleicht der Mondschein. Nicht der Geist des ermordeten Königs ist das schlimmste Grauen; er zeigt sich in der Nacht, in dieser dunklen Wohnung der Geister, wo wir nur schüchterne Gäste sind. Der Geist bei Tage in unserm eigenen Hause – Hamlets Geist ist viel entsetzlicher.

Shakespeare ist König, nicht untertan der Regel. Wäre er wie ein anderer, dürfte man sagen: Hamlet ist ein lyrischer Charakter, der aller dramatischen Gestaltung widerstrebt; Hamlet ist das *Un-Ding*, schlimmer als der Tod, das Ungeborene. Doch es ist Shakespeare! – wir müssen gehorchen und schweigen.

Über dem Gemälde hängt ein Flor. Wir möchten ihn wegziehen, das Gemälde genauer zu betrachten; aber der Flor ist selbst gemalt. Die Nähe des Auges muß die Schwäche des Lichtes ersetzen. Werfen wir zuerst einen Blick auf die Umgebungen unseres Leidenshelden. Hamlet *ist* nicht der Mittelpunkt, wir müssen ihn dazu *machen*; wir wollen erst seinen Kreis bilden und ihn dann hineinstellen. Doch vor allem rüsten wir uns männlich gegen den Irrtum, der uns im Leben wie auf der Bühne so oft besiegt. Im Leben beurteilen wir die Menschen nach ihrem Rufe; auf der Bühne glauben wir von den dargestellten, ohne zu untersuchen, alles, was die Tugendhaften im Schauspiele von ihnen sagen und denken. Das ist nicht die rechte Art; wir müssen sie selbst beobachten und prüfen. Hamlet ist gar nicht so edel und liebenswürdig, wie er seinem Mädchen erscheint; der König ist lange nicht so nichtswürdig, wie ihn Hamlet lästert. Ja, wir müssen uns sehr vorsehen, daß wir den bösen Oheim nicht lieber gewinnen als den guten Neffen.

Der Schauplatz ist ein nordischer Hof, halb gekleidet im wilden Eisen der alten Zeit, halb im Tuche unserer Tageshelden, die, hinter der Fronte, mit ihrem Schwerte Federn schneiden. Der Rost der Politik fing schon an, den kriegerischen Stahl fleckig zu machen. Gradsinn und krumme Wege ziehen nebeneinander her, Grobheit und Schmeichelei begegnen sich. Die Hofleute haben schon die Witterung des 18. Jahrhunderts und wissen, wo der Hase im Pfeffer liegt. Verstand gewahren wir genug; aber nicht Geist, nicht Witz noch Bildung. Die beiden Studenten, Hamlet und Horatio, sind Orakel, und ihre Gelehrsamkeit wird angestaunt. Der Scherz ist etwas plump und unzüchtig; die Silbenstecherei gehört zu den Turnierübungen der schönen Geister jener Zeit. Das Volk ist störrig – »*Ihr falschen Dänenhunde*«, sagt die Königin.

Der König hat seinen Bruder ermordet, dessen Witwe geheiratet und sich die Krone aufgesetzt. Er ist verschlossen, wir können ihm nicht in die Brust sehen; aber es scheint, er ist der Königin ernstlich zugetan, und wir dürfen glauben, daß seine Liebe älter sei als sein Ehrgeiz und sein Verbrechen. Er hat es begangen, er hat sich den unterirdischen Mächten verkauft; doch seine Rechnung ist ihm klar; er weiß, was er ausgegeben, und auch, was er eingenommen. Der König gleicht allen Bösewichtern Shakespeares, die, es in guter hausbackenen Meinung zu sagen, der Sittlichkeit gar nicht heilsam sind. Man kann Shakespeares Bösewichtern nicht recht gram werden; sie sind nicht schlimm für eigene Rechnung allein, sie bilden Gattung, sie tragen das Kainszeichen auf ihrer Stirne, das Titelblatt von dem Sündenbuche der Menschheit, das nicht verantwortlich ist für den Inhalt, den es anzeigt. Der König, nach seiner großen Schuld, tut nicht mehr Böses, als nötig ist zu ihrer Benutzung und seiner Sicherheit, und er tut es nicht eher, als bis der Gebrauch und seine Gefahr ganz nahegekommen. Selbst arg, quält ihn doch der Argwohn nicht. Er ist sehr nachsichtig, sehr langmütig gegen Hamlet, dessen wahre Stimmung er, und er allein, durchschaut, sobald er ihn nur einmal unbemerkt beobachtet. Er ist ein vornehmer Geist, dem sein untergebenes Gewissen nur in der stillen Zurückgezogenheit vertraulich nahen darf. Einmal, da es ihn überrascht, und er seine starken Knie vor Gott beugt, sind wir bewegt, und es schmerzt uns, daß ihm das Beten nicht gelingt und daß ihm die Schuld leichter fiel als die Buße. Er ist ein stattlicher Herr, Ehrfurcht gebietend und dabei staatsklug, beredsam und freundlich. Er behandelt den alten, unbrauchbar gewordenen Polonius mit schonender Achtung, Laertes und die übrigen Hofleute mit einschmeichelnder Aufmerksamkeit. Er ist zechlustig wie sein Land; er ist es aus Neigung und zeigt es aus Politik. Er hat eine bewunderungswürdige Geistesgegenwart, die er nie verliert. Wenn er Hamlets Schauspiel plötzlich verließ, geschah es nicht, weil er seine innere Bewegung nicht bemeistern konnte; denn wäre das, wäre er gleich nach der Pantomime aufgebrochen, die doch als der erste Eindruck am meisten überraschen mußte. Er entfernt sich nur, sich zu retten; denn er fürchtet, das Spiel könnte ernsthaft endigen und auf Hamlets peinliches Gericht möchte gleich die Hinrichtung folgen. Darin verkannte er Hamlet; er bedachte nicht, daß ein starker Mann der einmal fest beschlossenen Tat nie eine Drohung vorausschickt. Die ruhige Haltung und königliche Würde verläßt ihn nicht, als Laertes an der Spitze einer empörten Rotte in den Palast dringt; nicht, als Hamlet unerwartet von seiner Seereise zurückkehrt und den Plan vereitelt, nicht, als die Königin vergiftet niedersinkt, deren Ohnmacht er für Nervenscheu vor Blut erklärt; selbst nicht, als er selbst unheilbar hinfällt – er verbirgt die Gefahr und sendet nach Hülfe. In diesem letzten, fürchterlichen Augenblicke, am Rande des Todes, verläßt der König den Menschen nicht, dankbar für die von ihm erhaltenen Opfer. Er begleitet ihn hinüber in die andere Welt, hinauf zu jenem ewigen Richter, ihn dort zu verteidigen. Wir dürfen hoffen, der gnädige Gott werde dem Menschen verzeihen, was der König begangen; war es ein Verbrechen, König zu sein, war es nicht seines, sondern das seines Volks.

Die Königin ist schwach, sie ist Hamlets Mutter. Ihr Teil an dem Verbrechen bleibt zweifelhaft; sie ist Hehlerin, kauft wohlfeil gestohlenes Gut und fragt nicht, ob ein Diebstahl geschehen. Des Königs männliche Art hat sie überwältigt; ihres Sohnes Gewissenslampe, erst um Mitternacht entzündet, brennt nicht bis zum Morgen, und sie erwacht mit den Sünden des vorigen Tages.

Fortinbras und Laertes, Hamlets Altersgenossen, hat der Dichter mit bedächtiger Kunst dem Königssohne zur Seite gestellt, daß sie Licht werfen auf seine Schatten. Fortinbras streckt mit schöner Keckheit seine Hand aus nach Hamlets künftigem Erbgut, und als er ertappt wird, wendet er sich ruhig zu eines andern Tasche. Er trommelt, wie zum Spotte, in Hamlets stillen Schlaf, und als dieser ausgeträumt und stirbt, ist er auf der Stelle wieder da, bei hellem Tage den Thron zu besteigen, zu dem er früher im Dunkeln hat hinaufschleichen wollen. Laertes, der leichtgesinnte Jüngling, verläßt im Fluge das liederliche Paris, den Tod seines Vaters zu rächen, und ist sehr bereit, sich die Zinsen seiner Ungeduld mit einer Krone bezahlt zu machen – und der ernste, tugendhafte Hamlet, dem man auch einen Vater gemordet, kommt, ganz entkönigt, geschlichen von dem keuschen Wittenberg her und schleicht fort und träumt und besinnt sich und vollbringt nichts. Mit Laertes' lauter Trauer um Ophelia sucht er zu wetteifern; seinen stillen Schmerz um sie teilt er nicht.

Horatio hat auch in Wittenberg studiert und kam mit starkem Geiste und schwachem Fleische von dort zurück. Er ist ein ganzer Lateiner geworden und weiß zu erzählen von Rom und dem großen Cäsar. Die jungen Hofleute werden sich wohl im stillen über ihn lustig gemacht haben. Da Hamlet umkommt, sagt Horatio, er wäre kein Däne, sondern ein alter Römer, und er wolle seinem Herrn und Freunde in den Tod nachfolgen; aber er läßt es schön bleiben. Hamlet brauchte seinen Vertrauten nicht zu wählen, die Natur hat ihm Horatio angetraut.

Polonius war in seiner Jugend ein kluger Kopf. Dem alten Manne ist sein Verstand zu schwer geworden, und er kann ihn nicht mehr aus der Scheide bringen. Er trägt ihn gern zur Schau, als könnte er ihn noch führen, und er freut sich der oft geprüften Waffe. Nur unzeitiger Spott kann den Greis lächerlich finden. Auf Liebe, Wahnsinn und Schwärmerei versteht er sich zwar nicht viel; denn diese Krankheitsfälle sind ihm in seiner Hofpraxis noch nicht vorgekommen. Doch versteht er sich auch nicht auf geheime Tücke, und er ließe sich für die Biederkeit seines Königs totschlagen. Die schöne Erfahrung, die das Alter verschafft, besitzt er im hohen Grade. Er gibt seinem Sohne ganz vortreffliche Reiseregeln; er ist ein liebender Vater und gar nicht grämlich, wie es alte Leute sind. Seiner Tochter macht er zwar ernste, doch zugleich milde und freundliche Vorstellungen über ihren Umgang mit Hamlet, und der Ehrgeiz verleitet ihn nicht, ein Verhältnis zu unterhalten, das seiner Staatsdienerpflicht als unschicklich erscheint. Und doch wäre dieses Verhältnis nicht ohne Hoffnung gewesen; denn wie man von der Königin erfährt, hatte sie eine Verbindung zwischen Hamlet und Ophelia in ihren Gedanken. Polonius ist ein treuer Diener seines Herrn, ein Biedermann und kein gemeiner Höfling. Wenn er Hamlets launischer Meteorologie schmeichelt, so geschieht es nicht aus alberner Kriecherei, sondern weil er den Spötter für toll hält. Wir freuen uns, daß der gute alte Mann stirbt und daß er den Untergang des Königshauses und seines eigenen nicht sieht.

Ophelia ist gut und auch beschränkt wie ein Bürgermädchen. Der Hof hat sie nicht verdorben und nicht verfeinert. Hamlet verführte sie, und sie bemerkte nicht eher, was sie verloren, bis sie mit dem Mörder ihres Vaters es unersetzlich verloren. Zum Glück für ihre Tugend kam die Etikette der Pietät, die Politik der Moral zu Hülfe. Sie verliert die Vernunft und das Leben und weiß nicht worüber. Die Kleine stand gerade in einem Fußtritte des weit dahinschreitenden Schicksals; die Eiche, die der Sturm brach, fiel um und legte das Veilchen nieder.

Ist der *Geist* wirklich so erhaben, als er schon oft geschildert worden? Er tritt geharnischt auf; aber, wie mir scheint, ist nur seine Hülle umpanzert, seine innere Seele aber ist weich und bloß. Die Familienähnlichkeit zwischen ihm und seinem Sohne Hamlet ist gar nicht zu verkennen. Er ist ein schwacher, philosophischer, geflügelter Geist, der in der Luft zu Hause ist. Wesen solcher Art singen wie die Vögel, deren Ton kein Wort zum Körper hat. Hamlets Vater spricht gern, viel und kunstrednerisch; man könnte glauben, einen verklärten Schauspieler zu hören. Die Zeit, die ihm zum Herumwandern verstattet, ist so sehr kurz, und er verliert sie fast unbenutzt. Statt mit dem Wichtigsten, mit den Tatsachen, mit seiner Ermordung anzufangen, erzählt er zuerst von seinen Höllenqualen und zeigt die größte Lust, eine große dichterische Schilderung davon zu machen. Er will einen regelmäßigen Klimax beobachten und mit dem Fürchterlichsten, mit dem Brudermorde endigen; das ist aber hier ein Fehler. Das Schauerlichste an einem Geiste ist, *daß* er erscheint und spricht; *was* er tut und sagt, und wäre es das Schrecklichste, ist nach dem andern Kinderei. Auch scheint der Geist in jener Welt seine Menschenkenntnis nicht verbessert zu haben, sonst hätte er jeden andern eher als Hamlet zum Vollstrecker der Rache gewählt. Vielleicht war das auch gar nicht die Absicht seiner Erscheinung. Er wanderte auf gut Glück umher, sich einen Rächer zu suchen; unglücklicherweise aber war am ganzen Hofe Hamlet das einzige Sonntagskind. Der Geist ist so besorgt, Horatio und die andern Zeugen schwören zu lassen, daß sie nicht reden wollten von dem, was sie gesehen, versäumt aber, was viel nötiger war, seinem Sohne Verschwiegenheit zu empfehlen. Dieser plaudert und verplaudert alles und vereitelt dadurch den Wunsch seines Vaters und sein eigenes Vorhaben. Der König kommt zwar endlich um, doch wird er nicht gerichtet als der Mörder seines Bruders, sondern als der Mörder seines Neffen. Der alte Maulwurf war blind.

In dieses Land, an diesen Hof, unter diese Menschen kommt Hamlet, ganz warm, von Wittenberg zurück, erkältet sich augenblicklich und gewinnt den Schnupfen, an dem zarte Seelen so sehr oft leiden. Aus dem Treibhause der Schule wird er in die freie Welt gesetzt und verkümmert. Ein Königssohn, zu Krieg und Jagd erzogen, übte er sich in Wittenberg, wilde Theses zu bestreiten und hasenfüßige Sophismen aufzutreiben. Zwar wird die schwere deutsche Philosophie zur Grazie in dem geistreichen Fürstensohne; aber desto schlimmer – die geschmeidige dringt in die feinsten Adern des Lebens und hemmt den Lauf des fröhlichen Blutes, während die plumpe nur die großen Wege versperrt. Das einzige, was er von der hohen Schule Brauchbares für das niedere Leben mitgebracht, seine Fechtkunst, auf die er so eitel ist, gereicht ihm zum Verderben. Er ist weitsichtig, sieht ganz deutlich die Gefahr, die ihm im fernen England droht; aber er sieht nicht die scharf geschliffene Degenspitze, die nur einen Finger weit von seinen Augen blinkt. Hamlet ist ein Feiertagsmensch, ganz unverträglich mit dieser Werkeltagserde. Er verspottet das eitele Treiben der Menschen, und diese tadeln seinen eiteln Müßiggang. Ein Nachtwächter, beobachtet und verkündet er die Zeit, wenn andere schlafen und nichts von ihr wissen wollen, und schläft, während andere wachen und geschäftig sind. Wie ein Fichtianer denkt er nichts, als *ich bin ich*, und tut nichts, als sein Ich setzen. Er lebt in Worten und führt als Historiograph seines Lebens ein Schreibbuch in der Tasche. Ganz Empfindung, verbrennt ihn das Herz, das ihn erwärmen sollte. Er kennt die Menschheit, die Menschen sind ihm fremd. Er ist zu sehr Philosoph, um zu lieben und zu hassen. *Die* Menschen kann er nicht lieben, *den* Menschen kann er nicht hassen; darum ist er ohne Teilnahme für seine Freunde und ohne Widerstand gegen seine Feinde. Mut, dieser Bürge der Unsterblichkeit – wer hätte Mut, wenn er sich nicht unsterblich glaubte? – er hat ihn nicht, der Königssohn. Weil er in jedem Menschen das übergewaltige Menschenvolk erkennt, ist er furchtsam, was andere nicht sind, die mit ihren kleinen Augen im einzelnen nur den einzelnen sehen. In der Schuld seiner Mutter sieht er die Gebrechlichkeit des Weibes, in dem Verbrechen seines Oheims die lächelnde Schurkerei der Welt. Soll er ihn wagen, diesen tollkühnen Streit? Er zittert. Ihm fehlt nicht der Mut des Geistes, den ein tapferes Heer von Gedanken umgibt; ihm fehlt der Mut des Herzens, für das nur das eigene Blut kämpft. Darum ist er kühn in Entwürfen und feige, sie auszuführen. Zum Übermaße des Verderbens kennt sich Hamlet sehr gut, und zu seiner unseligen Schwäche gesellt sich das Bewußtsein derselben, das ihn noch mehr entmutigt.

Hamlet ist ein Todesphilosoph, ein Nachtgelehrter. Sind die Nächte dunkel, steht er unentschlossen, unbeweglich da; sind sie hell, ist es immer nur eine Monduhr, die ihm den Schatten der Stunde zeigt, er handelt ungelegen und geht irre im trügerischen Lichte. Das Leben ist ihm ein Grab, die Welt ein Kirchhof. Darum ist der Kirchhof seine Welt, da ist sein Reich, da ist er Herr. Wie liebenswürdig erscheint er dort! Überall betrübt, da ist er heiter; überall dunkel, da ist er klar; überall verstört, da ist er ruhig. Wie treffend, geistreich und witzig zeigt er sich dort! Sonst betrübt durch seine Todesgedanken, wird er uns tröstlich zwischen Gräbern. Indem er das Leben als einen Traum verspottet, spottet er den Tod auch zu nichts. Da ist er nicht schwach – wer ist stark im Angesichte des Todes? Da endigt alle Kraft, aller Wert, da hört alle Berechnung, alle Schätzung, alle Verachtung, jede Vergleichung auf. Da darf Hamlet ungescholten den Befehl seines Vaters vergessen, da braucht er dessen Tod nicht zu rächen. Soll er einen Verbrecher, der in den letzten Zügen einer Krankheit liegt, auf das Blutgerüst schleppen? Wie grausam! Umbringen im Angesichte des Todes – wie lächerlich, welch eine kindische Ungeduld! Es ist als ginge eine Schnecke dem kommenden Winde entgegen.

In dieser schnöden Welt muß die Tugend Gewalt haben, um Macht zu haben, anmaßend sein, der Anmaßung zu begegnen, und mit den Waffen der Hölle für den Himmel kämpfen. Hamlets

Tugend hat keine Tüchtigkeit. Ein so zarter Jüngling mit seinem ewig jungen Herzen kann in keinem Königshause gedeihen, wo man alt geboren wird. Hamlet hat den Adelstolz der hochgeborenen Seelen, und er kann sich zu keiner niedrigen Natur herablassen. Geistreich und feingesittet, wird es ihm nicht behagen in einem betrunkenen Lande. Zeigt er sich trüb gestimmt und schwärmerisch, wird er verachtet und verspottet werden; wenn heiter, wird er selbst ein Spötter sein, was keiner ungestraft ist, an einem Fürsten aber, dem gleiche Waffe sich nicht offen entgegensetzen darf, sich im verborgenen am gefährlichsten rächt. Hamlet tadelt die Zechlustigkeit des Hofes, macht Polonius' geschäftige Dienertreue lächerlich und verhöhnt die elende Kriecherei der Höflinge. Sein Oheim ist ihm unleidlich, und er würde ihn hassen, auch wenn er nicht der Mörder seines Vaters wäre. Der Geist ohne Charakter steht dem Charakter ohne Geist und jener diesem immer feindlich gegenüber. Hamlet fühlt sich überwältigt von der stillen, ruhigen, machtgebietenden Art des Königs. Er weiß recht gut, daß es nur eitle Fechterkünste sind, die ihn abhalten; aber er kann ihnen nicht begegnen, er selbst hat diese Künste nicht geübt, und dieses gibt ihm jenen heftigen Groll, der selbstbewußte Schwäche immer begleitet. Dem Könige gegenüber ist er blöde und verlegen, und aus dem ganzen Heere von Hohn und Haß, das sich um sein Herz gelagert, tritt selten eines jener großen Worte hervor, deren Hamlet so viele zählt, den friedlichen König herauszufordern. Wie froh wird Hamlet sein, wenn er erfährt, daß sein Oheim ein Bösewicht ist; wie wird er sich erleichtert fühlen, wenn sein Haß einen Grund bekommen, wenn seine Abneigung ihm zur Pflicht geworden! Der Mord des Vaters ist nicht Hamlets Schmerz, er ist nur das Gefäß seiner Leiden; jetzt *faßt* er, was ihn quält. Unglücklich wäre er immer gewesen.

Der Tod des Vaters ruft Hamlet zurück. Die Heirat der Mutter bekommt er drein in seine Trauer. Hamlet weiß besser als einer, besser als etwas, daß Menschen sterblich sind. Aber daß auch Empfindungen sterblich sind, die der Jüngling für ewig hielt, daß eine Liebe endigen, man zweimal lieben und von einer edlen Liebe zu einer gemeinen herabsteigen könne – das überrascht ihn schmerzlich, das verwirrt ihn, für diese neue Erfahrung ist selbst sein weiter Kreis der Trostlosigkeit zu eng. Hamlets Einbildungskraft ist kühn, sie wirft alles vor sich nieder. Sein Oheim hat eine Krone empfangen aus den Händen seiner Mutter – er hat Vorteil gezogen von dem Tode seines Vaters – er hat diesen tot gewünscht – er hat seinen Bruder ermordet. Das ahnete Hamlet, ehe es ihm der Geist entdeckt. Dieser erscheint, sagt laut, was sich der Sohn leise gesagt, und fordert ihn zur Rache auf. Hamlet entsetzt sich – nicht über den Mord; er entsetzt ich, daß er ihn rächen soll. Nur auf freies Denken und Fühlen angewiesen, soll er nachdenken und handeln; die Natur hat ihn durchsichtig geschaffen, und er soll auf Liste sinnen und sie verdecken; er ist zum Dulden geboren und man erwartet Taten von ihm. So geklemmt zwischen dem heiligen Gebote seines Vaters und den strengen Verboten seiner Natur, wird er bald hier fort-, bald dort zurückgestoßen, verliert alle freie Bewegung, und so sehen wir ihn hingeschleppt von Entwürfen, die seiner Ohnmacht spotten, von Versuchen, die ihm mißlingen, von großen Worten, die ihn lächerlich, und kleinen Handlungen, die ihn verächtlich machen – und so sehen wir ihn endlich in einem gemeinen Handgemenge schimpflich umkommen und alle, die ihn umgeben, nicht den Schlägen, nein, einer Schlägerei des Schicksals unterliegen.

Die fürchterliche Stunde ist da, wo Hamlet den Geist seines Vaters sehen soll. Und hätte er tausend Seelen, sie dürften sich nicht bewegen; und hätte er tausend Herzen, sie müßten stillstehen und horchen. Aber in dieser Bangigkeit, wo wir selbst, gleichgültige Hörer eines Märchens, taubes Ohr, blindes Auge sind – was tut Hamlet? Er füllt die Erwartung mit unnützem Werg aus. Er hält eine anthropologische Vorlesung, spricht wie ein Prediger von häßlichen Gewohnheiten, welche die saubersten Tugenden beschmutzen, und stellt nüchtern Betrachtungen über das zu viele Trinken an. Der Geist schreckt ihn auf, er hatte ihn schon ganz vergessen. Der Geist spricht Feuerworte, Hamlet brennt – es ist Zunder. Eine Minute, und es ist verglommen, und die Asche seiner Begeisterung fliegt in den Wind. Er will rasch sein zur schönen Tat, er möchte fliegen, der Rückweg zum Palaste ist ihm um eine Welt zu lang. Aber, noch hat er keinen Schritt getan, und er hat schon Mittel gefunden, die Rache mit seiner Bedächtigkeit, die Pflicht mit seiner Schwäche zu vereinigen. Er will mit Witz anfangen, was nur der Verstand unternehmen, nur der Mut vollführen kann. Er will es fein machen, will politisch sein, sich toll stellen. Was denkt er sich dabei? Soll ihm die Tollheit den Zutritt zum Könige erleichtern? Sie wird ihn nur erschweren. Soll die den König einschläfern? Sie wird ihn nur wachsamer machen. Will er seine Schwermut vermummen? Er soll sie heilen, er soll sie rächen. *Stellt* sich Hamlet toll? Er *ist* es. Es gibt Wahnsinnige, die lichte Zeiten, es gibt andere, die lichte Räume haben, in welche sie zu jeder Zeit sich stellen und von dort aus ihren eigenen Wahnsinn beobachten können. Zu den letztern gehört Hamlet. Er glaubt mit seinem Wahnsinne zu spielen, und dieser spielt mit ihm.

Hamlet beginnt sein tolles Spiel und prüft dessen Wirksamkeit zuerst an der Unschuldigsten in seinem Kreise, an der liebendgläubigen Ophelia. Es ist eine unbeschreibliche Häßlichkeit in diesem Betragen. Er hätte das gute Mädchen eher zur Vertrauten als zur Hülle seines Geheimnisses machen sollen. Hamlets Verwirrtheit wird bemerkt; der aufmerksame König schickt Rosenkranz und Güldenstern, des Prinzen Jugendfreunde, hinter ihn, den Grund seines Trübsinns zu erspähen. Hamlet ist eitel; er verstellt sich, will aber zugleich seinen klugen Kopf zeigen und merken lassen, daß er sich verstellt. Er läßt sich nicht ausforschen, bekennt aber, daß er ein Geheimnis habe. Die Spione müssen zwar unverrichteter Sache abziehen, aber nur, weil sie Höflinge sind, die sich auf Schwärmereien nicht verstehen. Hamlet beharrt in seiner schmählichen Untätigkeit; statt anzugreifen, verschanzt er sich gegen Angriffe. Wenn auch Mensch und Sohn, durfte er darüber den Fürsten nicht vergessen; er mußte in dem Mörder seines Vaters auch den Mörder seiner Krone bestrafen. Nicht meuchelmörderisch soll er den König töten, er soll das Verbrechen laut verkündigen und sich an die Spitze des Volkes stellen, das ja, wie Laertes' Beispiel gezeigt, dem Könige so ungewogen und so leicht zu lenken ist. Aber Hamlet geht umher wie Hans der Träumer. Da werden ihm die Schauspieler gemeldet; er wacht auf, er lebt wieder. Auf die Kunst versteht er sich, er liebt sie. Einer der Komödianten trägt etwas vor von Hekuba; er redet sich in das Zeug hinein und wird blaß und weint. Hamlet fühlt sich beschämt, überhäuft sich mit Scheltreden und betrinkt sich in Worten, um Mut zu bekommen. Es dauert nicht lange, und er redet sich wieder in Zweifel, um die Tat verschieben zu dürfen. Vielleicht hat ihn ein tückischer Geist betrogen, vielleicht ist sein Oheim unschuldig. Er will ihn prüfen durch psychologische Mittel, er will einen chemischen Versuch anstellen, die Schaupsieler sollen des Königs echte Farbe dartun. Er gibt ihnen ein Stück auf, worin ein Mord dargestellt wird, er macht selbst Verse dazu und mehr als für seinen Vater zeigt er sich besorgt, daß ihm die Schauspieler durch schlechten Vortrag seine schönen Verse verunzieren möchten. Er unterrichtet sie mit einer Ruhe, mit solchem Bedachte und mit solcher Umständlichkeit, als habe er sein gutes Auskommen und sonst keine Sorgen auf der Welt. Der König wird gefangen, Hamlet ist ganz vergnügt, daß ihm seine List gelungen; die gewonnene Erfahrung zu benutzen, daran denkt er nicht. Seine Mutter läßt ihn rufen, er geht und hält sich lange im Vorzimmer auf; dort philosophiert er. Er hält den schönen Monolog, der aber in dem Munde eines Fürsten sich so häßlich ausnimmt. Das Leben ist ihm verhaßt; aber nicht wegen der Leiden, nein, wegen der Handlungen, die es auflegt. Kein anderes Mittel, sich vor den Plagen der Welt zu schützen, als Flucht, Selbstmord; der Tod soll die Todesfurcht heilen. Er trifft den König unbewacht, jetzt könnte er ihn töten; aber er betet. Hamlet will grausam sein, er will ihn betrunken zur Hölle schicken. Jetzt spricht er mit seiner Mutter; da ist ihm wohl und behaglich, da vertragen sich Pflicht und Neigung. Der Geist selbst hat ihm Schonung aufgelegt, nur reden darf er, Dolche keine brauchen. Es rührt sich etwas hinter dem Vorhange; Hamlet hat Mut, er sieht den Gegner nicht; er verwundet den weichen, wehrlosen Teppich und trifft Polonius, den guten alten Mann.

Hamlets Wahnsinn steigt; die Maske der Verstellung, halb fällt sie, halb läßt er sie sinken. Der König wird zum Äußersten gebracht, er muß selbst zugrunde gehen oder Hamlet verderben. Da beschließt er, ihn nach England zu schicken, zu seinem Untergange. Er gibt ihm ganz freundliche Rechenschaft von der Notwendigkeit seiner Entfernung. Hamlet ist es gleich zufrieden, das Wörtchen *nein* steht nicht in seinem Wörterbuche, er sagt *gut* und läßt sich schicken. Er denkt an nichts, er entfernt sich von allem. Auf dem Schiffe übt er ein Bubenstück, begeht eine schimpfliche feige Tat gegen seine Begleiter Güldenstern und Rosenkranz. Diese jungen Leute wollen ihr Glück machen, sie zeigten sich dem Könige gefällig; aber sie durchschauen seine Tücke nicht, wissen nichts von der Botschaft, die sie nach England bringen. Hamlet schreibt wie ein Gauner falsche Briefe, schiebt sie den echten unter und bringt seine Begleiter und Jugendfreunde in die Falle, die ihm selbst gestellt. Er tut es nicht aus Bosheit, nicht aus Rachsucht, er tut es nur aus Eitelkeit. Noch nie ist ihm eine Tat gelungen, er will sich einmal etwas zugute tun, er will sich mit einem klugen Streiche bewirten. Der Zufall wirft ihn nach Dänemark zurück. Ob er jetzt auf etwas sinne, läßt er nicht erraten. Er wird zum Fechten mit Laertes eingeladen. Kaum hat er es zugesagt, wird es ihm übel ums Herz; nur die Ahnung einer Tat macht ihn schon krank. Er wird handeln, er wird sterben. Vorher versöhnt er sich mit Laertes auf eine würdige, rührende Art; noch einmal taucht der edle Schwan herauf und zeigt sich rein von dem Schmutze dieser Erde. Hamlet ficht, wird tödlich verwundet, und da, als er nichts mehr zu verlieren hat, als er keinen Mut mehr braucht, bringt er den König um. Es ist die Keckheit eines Diebes, der schon unter dem Galgen steht und Gott, die Welt und seinen Richter lästert. So endet ein edler Mensch, ein Königssohn! Er, der Wehe über sich gerufen, daß er geboren ward, die Welt aus ihren Fugen wieder einzurichten, tritt wie ein blindes Pferd das Rad des Schicksals, bis er hinfällt und, ein armes Vieh, den Peitschenhieben seiner Treiber unterliegt!

Das ist das Los der Schönen auf der Erde.

Man hat viel von Shakespeares Ironie gesprochen. Vielleicht habe ich nicht recht verstanden, was man darunter verstanden; aber ich habe Ironie überall vergebens gesucht. Ironie ist Beschränktheit, – oder Beschränkung. Für letztere war Shakespeare zu königlich, für erstere hatte er eine zu klare Weltanschauung; er sieht keinen Widerspruch zwischen Sein und Schein, er sieht keinen Irrtum. Oft zeigt er uns lächelnd des Lebens verstellten, doch nie spottend des Lebens lächerlichen Ernst. Doch im Hamlet finde ich Ironie, und keine erquickliche. Der Dichter, der uns immer so freundlich belehrt, uns alle unsere Zweifel löst, verläßt uns hier in schweren Bedenklichkeiten und bangen Besorgnissen. Nicht die gerechten, nicht die Tugendhaften gehen unter, nein schlimmer, die Tugend und die Gerechtigkeit. Die Natur empört sich gegen ihren Schöpfer und siegt; der Augenblick ist Herr und nach ihm der andere Augenblick; die Unendlichkeit ist dem Raume, die Ewigkeit ist der Zeit untertan. Vergebens warnt uns das eigene Herz, das Böse ja nicht zu achten, weil es stark, das Gute nicht zu verschmähen, weil es schwach ist; wir glauben unsern Augen mehr. Wir sehen, daß wer viel geduldet, hat wenig gelebt, und wir wanken. Hamlet ist ein christliches Trauerspiel.

Die Welt staunt Shakespeares Wunderwerke an. Warum? Ist es

denn so viel? Man braucht nur Genie zu haben, das andere ist leicht. Shakespeare wählt den Samen der Art, wirft ihn hin, er keimt, sproßt, wächst empor, bringt Blätter und Blüten, und wenn die Früchte kommen, kommt der Dichter wieder und bricht sie. Er hat sich um nichts bekümmert, Luft und Sonne seines Geistes haben alles getan, und die Art ist sich treu geblieben. Aber den Hamlet staune ich an. Hamlet hat keinen Weg, keine Richtung, keine Art. Man kann ihm nicht nachsehen, ihn nicht zurechtweisen, nicht prüfen. Sich da nie zu vergessen! Immer daran zu denken, daß man an nichts zu denken habe! Ihn nichts und alles sein zu lassen! Ihn immer handeln und nichts tun, immer sich bewegen und nie fortkommen zu lassen! Ihn immer sich als Kreisel drehen lassen, ohne daß er ausweiche! Das war schwer. Und Shakespeare ist ein Brite! Hätte ein Deutscher den Hamlet gemacht, würde ich mich gar nicht darüber wundern. Ein Deutscher brauchte nur eine schöne, leserliche Hand dazu. Er schreibt sich ab, und Hamlet ist fertig.

Der Jude Shylock im Kaufmann von Venedig
(1828)

Als nach geendigtem Schauspiele die Frauenzimmer nach Hause kamen, erzählten sie, der Gastspieler, der den Shylock dargestellt, sei hervorgerufen worden, habe sich wie üblich zierlich bedankt und habe unter anderm gesagt: ein solches Ungeheuer, wie Shylock, finde man zum Glücke in der Wirklichkeit nie. Da war ich recht froh, daß ein schlimmer Husten mich abgehalten, der Vorstellung beizuwohnen. Doch vielleicht hatte der menschenfreundliche Mann nur aus Gutmütigkeit so gesprochen. Es leben in dieser Stadt viele und reiche Juden, die von ihren christlichen Mitbürgern gehaßt und geneckt werden. Weil nun der fremde Schauspieler der christlichen Einwohnerschaft die Schadenfreude gewährt, zu seinem Benefize den Kaufmann von Venedig zu wählen, wollte er den Juden, die das Haus bevölkern helfen, wohl auch etwas Artiges sagen. Aber ernst durfte es ihm mit seiner wunderlichen Rede nicht gewesen sein; sonst hätte er gezeigt, daß er seine Rolle gar nicht verstanden. Ob es in der Natur jüdische Menschenfresser und Vampire gibt oder nicht, darauf kommt es hier nicht an; aber daran ist sehr viel gelegen, daß man nicht glaube, der große Dichter habe uns einen kleinen Judenspiegel für einen Batzen, nach Art des Hundt-Radowsky, zeigen wollen. Wenn der Himmel uns unwissenden Menschen einen Propheten wie Shakespeare schickt, so geschieht es wahrlich nicht bloß, daß er uns lesen lehre, sondern zu größerer Botschaft. Überhaupt ist Shakespeares Sendung das Predigen und das Lehren nicht. Wollte er aber ja einmal ein Schulmeister sein, so dachte er im Kaufmann von Venedig gewiß eher daran den Christen, als den Juden eine Lehre zu geben.

Shylocks Judentümlichkeit in Ehren gehalten, diese schöne Moral, die alle ungemünzten Leidenschaften verachtet – ist doch, sich selbst zum Trotze, etwas Großes, etwas Erhabenes in ihm, das auf seine eigene Niedrigkeit mit Stolz herabsehen darf. Shylock ist ein gestiegener Jude, ein Racheengel; er hat sich zu einer Höhe hinauf empfunden, wo er fähig wird, etwas zu tun, das nicht seinem Beutel wuchert, etwas zu tun für *alle*. Er will sein geschmähtes, niedergetretenes Volk an dessen Peiniger, dem Christenvolke, rächen. Den Geldbeutel in Shylock verabscheuen wir, den geplagten Mann bedauern wir, aber den Rächer unmenschlicher Verfolgung lieben und bewundern wir. Glaube man ja nicht, es sei eine Kleinigkeit, einem guten, christlichen Manne ein Pfund Fleisch aus der Brust zu schneiden! Das ist wohl eine Kleinigkeit für einen bösen Christen, aber nicht für einen Juden. Der Jude kann grausam sein von Geist, aber von Herzen ist er es nie; er hat ein weiches, mürbe geschlagenes Herz, er ist mitleidig, er kann kein Blut sehen. Wer weiß, ob es Shylock ausgeführt, wer weiß, ob ihm das Messer, das er so schadenfroh an seiner Sohle gewetzt, nach dem ersten Tropfen Blutes nicht aus den Händen gefallen wäre; Antonio hätte wagen dürfen, es darauf ankommen zu lassen. Und welche Opfer bringt Shylock seiner Rache! Dreitausend, sechstausend, neuntausend Dukaten! Und die Dukaten der Juden, das sind keine gewöhnlichen Dukaten, die sind viel mehr wert als die andern; ihre Liebe zu ihnen vergrößert sie in ihren Augen. Und nicht bloß diese Summe wagt er, er wagt mehr, die Zinsen dieser Summe; denn mehr ist dem Juden der Gewinn als der Besitz. Konnte Antonio nicht bezahlen zur Verfallzeit? Aber Shylock vertraut den Rachegöttern, vertraut den Meeresstürmen und den gefährlichen Winden böser Gerüchte, und sie täuschen ihn nicht. Auch lasse man sich von Shylock ja nicht irre machen, wenn er sagt, er hasse Antonio, weil dieser, wie ein Narr, Geld ohne Zinsen verleihe und dadurch die Zinsen in Venedig herunterbringe, und durch seine Entfernung werde er im Handel gewinnen. Nein, darum haßt Shylock den Antonio nicht. Die christliche Kaufmannschaft in Venedig wird auch nicht aus lauter edlen Antonios bestanden haben, und ein Mann allein, sei er noch so reich, kann den Wert des Geldes nicht verringern. Shylock ist ein Jude, er schämt sich vor sich selbst, bares Geld einer Einbildung aufzuopfern, und er sucht sich darum etwas weis zu machen. Schwärmt auch der Jude einmal, weiß er doch, daß er krank ist. Aber krank ist Shylock wirklich; nicht den Handelsfeind, den Glaubensfeind verfolgt er in Antonio und gibt im Fieberwahnsinne vollwichtige Dukaten für eine luftige Empfindung hin.

Der Schauspieler, der die Rolle des Shylock übernimmt, mag zusehen, wie er damit fertig wird. Der blutdürstige Haß des Juden soll uns entsetzen, wie jede Glaubenswut, wie jeder Wahnsinn; aber Ekel und Abscheu darf er nicht erwecken, gleich einer körperlichen Krankheit. Shylocks vermaledeite Geldsucht und die Krämpfe, in die gestörter Eigennutz seine Seele werfen, sollen unser Inneres empören, aber lächerlich sollen wir das nicht finden — wenn uns der leibhaftige Teufel erscheint, ist wahrlich nicht Zeit zum Lachen. Nun aber im Teufel den Gott zu zeigen, durch eine Sandwüste von Sünde bis zur kleinen Quelle der Liebe vorzudringen, die so weit entfernt, so verborgen rieselt: das gibt wohl dem darstellenden Künstler Arbeit genug. Denn Shakespeare tut nicht wie gewöhnliche Menschen und gewöhnliche Dichter, die, es ihrem Herzen oder ihrer Kunst bequem zu machen, lebende vermischte Dinge, gleich Scheidekünstlern, in ihre toten Elemente auflösen. *reine Charaktere* darstellen, diese lieben, jene hassen, diese anziehen, jene abstoßen — so tut Shakespeare nicht. Er nimmt nicht Partei, er gibt keinem Recht als der Sittlichkeit, die lauter im Leben nie erscheint; sondern läßt die Erscheinungen miteinander hadern und mischt sich nicht in ihren Streit. Der Dichter hat alles mögliche getan, den Christenhaß der Juden zu rechtfertigen, und mit gleicher Anstrengung bemühte er sich, den Judenhaß des Christen zu entschuldigen. Wie sollte Shylock den Antonio nicht hassen, um so mehr hassen, je besser und edler der Mann ist! Antonio ist gut, edel und hülfreich, nur nicht für den Juden. Er beschimpft ihn vor den Augen aller Welt, er mißhandelt ihn, wo und sooft er ihm begegnet. Ja in dem nämlichen Augenblicke, da er seine Gefälligkeit, sein Geld braucht, vermag er es nicht über sich, seinen Haß, seine Verachtung zu verbergen, und der gute edle Antonio, der seinem Freunde Bassanio alles aufopfert, ist doch nicht edel genug, dem Freunde zuliebe, einem Juden gütige Worte zu geben. Dann entführt ein Windbeutel von Christ Shylocks Tochter; diese beraubt und verläßt ihren alten Vater, und nur erst mit dem Vorsatze, eine Christin zu werden, beginnt sie ihre Bekehrung damit, den Vater zu verachten, weil er ein Jude ist. Das könnte wohl das Blut einer Taube in Drachenblut verwandeln. Der Christ haßt den Juden, der Jude vergilt es dem Christen, und indem er es tut, rächt Shylock die verspottete Tugend auch an sich selbst. Er gibt Geld hin, sein Volk zu rächen, und erfährt, daß Gold nicht Herr der Welt ist, wie der Jude glaubt, sondern daß Liebe mächtiger ist als Gold, selbst im Juden.

Sooft ich Shakespeare lese, habe ich einen wahren Kummer, daß er nicht in unsern Tagen lebt, sie uns klar zu machen. Es ist, als geschähen die Geschichten nicht auf die gehörige Art, wenn kein rechter Meister da ist, der sie auf die gehörige Art erzählt. Ein Charakter, ein Verhältnis, die dieser große Dichter nicht geschildert, weil sie ihm unbekannt waren, ist wie ein Buch ohne Titel, dessen Inhalt wir erst zusammenlesen müssen. Es geschieht oft, daß große Zeiten keine großen Geschichtschreiber, Dichter oder Künstler finden, die fähig wären, sie würdig zu beschreiben, zu schildern oder bildlich darzustellen. Die vornehmen Geschichten sind zu stolz, zu unruhig oder zu beschäftigt, gewöhnlichen Künstlern ruhig zu sitzen. Diese können ihre Züge nur im Fluge erhaschen oder müssen warten, bis die Zeit gestorben, um dann von ihrer Leiche einen Abguß zu nehmen, dem das Leben fehlt, wie dem Urbilde. Einem Maler wie Shakespeare aber halten die Zeiten stille, wohl wissend, daß die Natur nur der Kunst ihre Unsterblichkeit verdankt. Wie hätte Shakespeare *unsere* Shylocks, die großen Shylocks, mit christlichen Ordensbändern auf jüdischem Rockelor, geschildert! Wie hätte er die papierverkehrenden Shylocks ohne Rockelor gezeichnet, die das Fleisch und Blut ganzer Völker in Scheinen besitzen und die nicht mit Lumpen Papier, sondern mit Papier Lumpen machen! Wie hätte er die Ruchlosen dahin gemalt, welchen Gott ein Finanzminister ist, der spricht: es werde! und es wird eine papierne Welt; Adam, der erste Bankier; das Paradies, ein seliger Pari-Stand der Staatspapiere; der Sündenfall, der erste Fall der Kurse; welchen die Blätter der Geschichte *Metalliques, Bankaktien, Partiale* sind; welchen der jüngste Tag ein Ultimo ist; Gott Mars, der dem Ruhme, der Ehre, dem Glücke der Völker, dem Glauben, dem Rechte und andern solchen schnöden Dingen die Ruhe der Kurse aufgeopfert, ein vermaledeiter *Baissier*; Sultan Mahmud, der Beschützer der christlichen Papiere, ein großer Mann, ein gewaltig großer Mann, ein zweiter Josua; der österreichische Beobachter, das sechste Buch Mosis! O, wie hätte Shakespeare, dieser große Wechselmäkler zwischen Natur und Kunst, der das Geld der einen gegen das Papier der andern eintauscht, die Geheimnisse der Börsenherzen aufgedeckt! Wie hätte er unsere Börsenleute dahingestellt, welche die Griechen ein »*Lumpenvolk!*« schelten! – Hört ihr Catos Asche lachen? – Was hat der venetianische Shylock getan? Dreitausend gute Dukaten für ein armes Pfund Christenfleisch hingegeben; das Gelüste war wenigstens teuer bezahlt. Aber unsere Shylocks, alten und neuen Testaments, ersäufen für ein Achtelchen ganz Hellas, als wär's ein blindes Kätzchen. Der Shylock von Venedig war ein Lamm, ein Kind, eine gute Seele; und doch hat der Schauspieler oben in Frankfurt gesagt: ein Ungeheuer wie Shylock gäbe es nicht in der Natur, und Shakespeare sei ein Verleumder! O, guter Schauspieler! Die Geschichte lügt, wenn sie Menschen Christen nennt, weil ihre Ahnen Wurst gegessen; aber Shakespeare lügt nicht.

III.

Goethes Briefwechsel mit einem Kinde
(Auteuil 1835)

> Ich dich ehren? wofür?
> Hast du die Schmerzen gelindert
> Je des Beladenen?
> Hast du die Tränen gestillet
> Je des Geängstigten?
>
> *Goethes Prometheus*

Die mißtrauische Stimmung, mit der ich das Buch in die Hand nahm, ging sogleich in eine freundliche über, als ich auf der zweiten Seite der Vorrede das Geständnis der Verfasserin las, daß sie an orthographischen Fehlern leide und mit Komma und Punkt nicht umzugehen wisse. Bei einer gebildeten Frau ist die Unorthographie die Blüte weiblicher Liebenswürdigkeit.

Auch in jeder anderen Sprache geschrieben, selbst in der gebildeten, feinen und vornehmen Literatur der Engländer und Franzosen würden diese Briefe eines Kindes die höchste Auszeichnung verdienen und erhalten; aber als ein deutsches Werk sind sie von noch größerer Bedeutung. Ist es doch das erste Mal, daß wir deutschen Geist, ein Schiff mit reicher Ladung, auf offener See, bei günstigem Winde, mit geschwellten Segeln stolz dahin fahren sehen! Soll uns das nicht freudig überraschen, uns, die wir die deutschen Schiffe nur immer im Hafen sahen, einladend oder ausladend, aber bewegungslos?

Und Goethe ist der Anker dieses Schiffes! Bettine würde sagen: er ist mein Polarstern, mein Magnet und mein Steuermann. Geschwätz eines Kindes, worauf wir nicht achten. Goethe ist der Anker, und wie freuen wir uns darüber, wenn das kalte, harte, schwere und träge Eisen, sooft das Schiff ausgeschlafen, hinaufgezogen und mit fortgeführt wird, hin in das Ungewisse, getragen von dem Schwankenden, unter sich den Abgrund, hinter sich die Launen des Windes; und alles ohne Rahmen, ohne Farbe, ohne Gestaltung!

Betet dieses Kind an, denn der Himmel ist in ihm, und erkennt, daß es einen Gott gibt und eine gerechte Vergeltung! Bettine ist nicht Goethes Engel, sie ist seine Rachefurie.

Einst vor vielen Jahren schmolz wieder einmal der Schnee in unsrem rauhen Lande, und die Herzen wurden wieder warm und Gedanken keimten wieder. Da ragte unter allen sprossenden Geistern einer hervor, mit tausend Knospen prangend, er allein ein ganzer Frühling. Die Götter sprachen: Diesen Dichter wollen wir ehren durch unsre Gunst, denn er wird uns verherrlichen, uns und sein Vaterland, und sein armes Volk wird durch ihn erfahren, daß wir noch seiner gedenken in unsrer Höhe. Sie sendeten dem Dichter einen ihrer vertrautesten Geister herab, ein holdes zaubrisches Wesen, das sich in irdischer Gestalt ihm näherte. Die schönsten Blumen, die süßesten Früchte brachte sie ihm. Sie war ihm Tochter, Freundin, Geliebte und sang ihm vor mit Harfenstimme von ihrem Heimatlande, wohin sie ihn zu führen versprach. Goethe fühlte sich gerührt und immer tiefer und tiefer, und da, aus Furcht zu lieben, haßte er; denn Goethe haßte die Liebe, die ihm Tod, Fäulnis war, und er fürchtete den Tod; den Haß aber liebte er, denn er liebte das Leben, und im trennenden Hasse erkannte er allein das Leben.

Goethe schlug Mignon tot mit seiner Leier und begrub sie tief, und verherrlichte ihr Andenken mit den schönsten Liedern. Die Tote versprach er sich zu lieben, behaglich, nach Bequemlichkeit, nach Zeit und Umständen, und so oft ihn die Optik, Karlsbad und seine gnädigste Herrschaft nicht in Anspruch nähmen.

Aber Mignon war keine Sterbliche. Noch einmal weinte sie, dann ließ sie ihre Hülle sinken und entschwebte. Oben aus einer Gewitterwolke rief sie herab: Wehe dem Undankbaren, der die Gunst der Götter verschmäht! Du hast mich nicht geliebt als Jüngling, so sollst du mich lieben als Greis; du hast mich nicht umarmt in den Tagen deiner Kraft, so sollst du mich umarmen in den Jahren deiner Ohnmacht; du hast mich von dir gestoßen, da ich deine Lust wollte sein, du sollst mich an deine Brust drücken, wenn ich deine Qual werde sein. Lebe nur fort in Hochmut und Todesfurcht, einst erscheine ich dir wieder.

Und wie sie gedroht, vollstreckte sie. Nach vierzig Jahren kam sie wieder und nannte sich Bettine. Sie liebte ihn, und er glaubte, sie spotte seiner; er liebte sie, und sie heuchelte, es nicht zu glauben, und er hatte doppelten Schmerz und war sehr unglücklich.

Es fehlte der Frau von Armin nur an einer größeren Schaubühne der Beobachtung, einer solchen, wie sie in Deutschland keiner findet; dort, wo für jede Loge ein eignes Stück aufgeführt wird – nur daran fehlte es ihr, sonst wären ihre Briefe den interessantesten französischen Memoiren zu vergleichen, und wir hätten eine deutsche Sévigné, nur verschönert und veredelt durch jene Liebe und jene Tiefe des Gemüts, welche die deutsche Nation über die französische erheben. Die Verfasserin hat ein merkwürdig[e]s Talent zu porträtieren, sowohl Zeiten als Menschen, welches sich mit ihrem nationellen Talente zu idealisieren gar wohl verträgt. Es wäre gut, sie gründete eine Unterrichtsanstalt für die historischen Professoren der deutschen Universitäten, welche die Kunst besitzen, sehr gute Geschichtsbücher zu schreiben, aber nicht die Kunst, sie lesen zu machen. Es wäre eine Kochschule, in der man lernte, wie aus den vortrefflichen Viktualien der deutschen Literatur alles Zähe, alle Säure und fixe Luft zu vertreiben sei, damit sie zur wohlschmeckenden und gesunden Nahrung werde.

Wer Frankfurt kennt, den Geburtsort der Verfasserin, und ihrem Buche die Bewunderung zuwendet, die es verdient, der wird nicht begreifen können, wie eine in Frankfurt Geborne diese Freiheit des Geistes und des Herzens gewinnen konnte. Die Auflösung des Rätsels liegt darin: Frau von Arnim war eine Katholikin, sie gehörte zu den unterdrückten Volksklassen, sie war also Weltbürgerin, und dieses bewahrte sie vor der Engherzigkeit und der Philisterei, von der sich der Protestant Goethe, dessen Familie zur herrschenden Partei gehörte, nie losmachen konnte. Was machte Goethe, den größten Dichter, zum kleinsten Menschen? Was schlang Hopfen und Petersilie durch seine Lorbeerkrone? Was setzte die Schlafmütze auf seine erhabene Stirne? Was machte ihn zum Knechte der Verhältnisse, zum feigen Philister, zum Kleinstädter? Er war Protestant und seine Familie war ratsfähig. Er war schon sechzig Jahre alt, stand auf dem höchsten Gipfel seines Ruhms, und Weihrauchwolken unter seinen Füßen wollten ihn trennend schützen vor den niedern Leidenschaften der Talbewohner – da ärgerte er sich, als er erfuhr, die Frankfurter Juden forderten Bürgerrecht, und er geiferte gegen die »*Humanitätssalbader*«, die den Juden das Wort sprächen. Ja, der Gott ärgerte sich und geiferte, und das Kind Bettine mußte ihm weiche Umschläge auf sein gichtisches Herz legen und ihn beschwichtigen wie einen leidenden mürrischen Onkel!

Bettine liebte Goethe wie einst Petrarca seine Laura; sie liebten beide nur die Liebe. Bettine kniete nicht vor Goethe, sie kniete in ihm; er war ihr Tempel, nicht ihr Gott.

Goethe war König, nicht der gemeinen, noch der vornehmen Geister, sondern ein König bürgerlicher Seelen. Ehrfurcht und Liebe umgaben ihn nicht, aber Bettelei und Dankbarkeit. Er war der Gönner der literarischen Gewürzkrämer, die Nationalgarde der Egoisten; verschmähend alles, was allen, hassend das, was den Besten gefiel. Er beschützte die Mittelmäßigkeit der Literatur und ließ sich von ihr bewachen.

Er schrieb dem Kinde: »Dein Malen des Erlebten samt aller innern Empfindung von Zärtlichkeit und dem, was Dir Dein witziger Dämon eingibt, sind wahre Originalskizzen, die auch neben den ernsteren Beschäftigungen ihr hohes Interesse nicht verleugnen; nimm es daher als eine herzliche Wahrheit auf, wenn ich Dir danke.« Wenn Goethe für *Originalskizzen* dankt, kann niemand an der Aufrichtigkeit seines Dankes zweifeln. Wären diese Briefe nicht Originalskizzen gewesen, sondern an alle geschrieben, gedruckt, dann hätte sie Goethe unleidlich gefunden. Daß er sie, selbst in ihrer ausschließlichen Beziehung zu ihm, zu würdigen verstand, mußte er in seinem Geiste, wir zweifeln nicht daran, sie als *orientalische Poesie* angesehen haben. War ihm ja der ganze Jean Paul nur unter dieser Vorstellung begreiflich und verzeihlich. Diese Weise der Anschauung und des Urteils war begründet in Goethes innerster Natur. Feuer, das nichts verzehrte, Licht, das nichts beleuchtete, Wärme, die nichts erwärmte, waren ihm grauenvoll. In der Kohle, in der Farbe, in der Kälte, die sondern und sperren, sah er allein das Leben. Stoffloses Feuer, farbloses Licht waren seinem Herzen unverständlich und seinem Verstande, seiner Wißbegierde nur als eine Seltsamkeit wert, die aus dem Morgenlande kam.

Frau von Sévigné, als einst Ludwig XIV. einen Menuett mit ihr getanzt, rief begeistert aus: es ist doch wahr, wir haben einen großen König! So haben gar viele Personen Goethe groß gefunden und bewundert, nur weil er so gnädig war, ihnen zu schreiben, weil er einen Briefmenuett mit ihnen getanzt. Aber zu diesen eiteln Enthusiasten gehörte Bettine nicht; sie hatte ein zu großes Herz um eitel zu sein. Aber wie konnte sie Goethen lieben und bewundern? Es ist das Geheimnis der Apokalypse, man kann hundert Auslegungen versuchen, und des Unerklärlichen bleibt noch viel zurück.

Bettine hatte einen bewunderungswürdigen Höhesinn und eine unstillbare Kletterlust. Sie kletterte an Goethen hinauf wie an Türmen, Mauern und Bäumen, und oben, wenn ihr warm geworden war von der Bewegung, glaubte sie, sie hätte oben die Wärme gefunden, und die schöne Aussicht, die sie auf der Höhe gewann, sie glaubte, die Höhe hätte sie geschaffen.

Es geschah nicht selten, daß Bettine von ihrer Begeisterung für Goethe herabstürzte, aber nach ihrer Katzennatur fiel sie immer auf die Beine, und sie tat sich nicht zu weh.

Da ihr Herz heller aufloderte so oft Goethe es berührte, wähnte sie, von ihm käme seine Glut. Und doch war es nichts anderes, als daß er Wasser in ihre Flamme sprützte. Wenn aber der Kälte zuviel kam, die Glut dämpfend statt anzufachen, dann kam Bettine zur Besinnung, und sie erkannte Goethen, und sie pochte mit ihrer Kindeshand zornig an seine eiserne Brust.

Wem hätte Goethe nicht wehe getan, wer hätte nichts an ihm zu rächen? Darum wird es viele Tausende erquicken, wenn sie folgendes lesen, was Bettine, überwältigt von ihrer sich nicht bewußten Sendung, von Zeit zu Zeit an Goethe schrieb. Kinder sagen die Wahrheit und Narren verbreiten sie. Aber wer wäre nicht gern ein Kind mit diesem Kinde, ein Narr mit dieser Närrin?

»Ich habe von der Mutter viel gehört, was ich nicht vergessen werde; die Art, wie sie mir ihren Tod anzeigte, hab' ich aufgeschrieben für Dich. Die Leute sagen, Du wendest Dich von dem Traurigen, was nicht abzuändern ist, gerne ab; wende Dich in diesem Sinne nicht von der Mutter ihrem Hinscheiden ab, lerne sie kennen, wie weise und liebend sie grade im letzten Augenblicke war und wie gewaltig das Poetische in ihr.«

»Bei der Hand möchte ich Dich nehmen und weit wegführen, daß Du Dich besinnen solltest über mich, daß ich Dir in Deinen Gedanken aufginge, als etwas Merkwürdiges, dem Du nachspürst, wie z.B. einem Intermaxillarknochen, über den Du Dein Recht in so eifriger Korrespondenz gegen Sömmering behauptet; sag mir aufrichtig, werde ich Dir so wichtig sein als ein solcher toter Knochen?«

»Ich möchte zum Wilhelm Meister sagen: Komm, flüchte Dich mit mir jenseits der Alpen zu den Tirolern, dort wollen wir unser Schwert wetzen und das Lumpenpack von Komödianten vergessen, und alle Deine Liebsten müßten denn mit ihren Prätensionen und höhern Gefühlen eine Weile darben; wenn wir wiederkommen, so wird die Schminke auf ihren Wangen verbleicht sein und die flornen Gewande und die feinen Empfindungen werden vor Deinem sonnenverbrannten Marsantlitze schaudern.«

»Ja, ich glaub's, daß ich Dir lieb bin, trotz Deinem kalten Brief; aber wenn Deine schöne Mäßigung plötzlich zum Teufel ging und Du bliebst ohne Kunst und ohne feines Taktgefühl, so ganz wie Dich Gott geschaffen hat, in Deinem Herzen, ich würde mich nicht vor Dir fürchten wie jetzt, wenn ein so kühler Brief ankömmt, wo ich mich besinnen muß, was ich denn getan hab.«

»Ach, Du hast einen eignen Geschmack an Frauen. Werthers Lotte hat mich nie erbaut. So geht mir's auch mit Wilhelm Meister; da sind mir alle Frauen zuwider, ich möchte sie alle zum Tempel hinausjagen.«

»Ach, Goethe, laß Dir keine Liedchen vorlallen und glaube nicht, Du müßtest sie verstehen und würdigen; ergib Dich auf Gnade und Ungnade, leide in Gottes Namen Schiffbruch mit Deinem Begriff. Was willst Du alles Göttliche ordnen und verstehen, wo's herkömmt und hinwill?«

»Ja, das hat Christian Schlosser gesagt: Du verstündest keine Musik, Du fürchtest Dich vor dem Tod und habest keine Religion.« Und in einem langen herrlichen Briefe über Musik erzählt Bettine, sooft sie spiele oder singe, käme in ihrem Zimmer eine Maus und eine Spinne aus ihrer Verborgenheit vor und äußerten bei den Tönen das lebhafteste, freudendurchdrungenste Mitgefühl. Dann spricht sie fortfahrend zu Goethe: »Diese beiden kleinen Tierchen haben sich der Musik hingegeben; es war ihr Tempel, in dem sie ihre Existenz erhöht, vom Göttlichen berührt fühlten, und Du, der sich bewegt fühlt durch die ewige[n] Wellen des Göttlichen in Dir, Du habest keine Religion? Du, dessen Werke, dessen Gedanken immer an die Muse gerichtet sind, Du lebtest nicht im Element der Erhöhung, der Vermittelung mit Gott!«

»Du bist ein koketter zierlicher Schreiber, aber Du bist ein harter Mann; die ganze schöne Natur, die herrliche Gegend, die warmen Sommertage der Erinnerung – das alles rührt Dich nicht, so freundlich Du bist, so kalt bist Du auch.«

Einmal schickte Bettine Liebesäpfel an Goethe. Darauf schrieb er ihr: er habe sie nach deren Empfang an eine Schnur gereiht, ans Fenster in die Sonne gehängt und Farbenbeobachtungen dabei angestellt. Nicht einmal die Dankbarkeit konnte diesen kalten Mann erwärmen, ihn, der doch so gern Geschenke nahm. Man

muß es ihm verzeihen, daß er so gern Geschenke nahm, ja oft er-
bettelte; Goethe war der ärmste Mann seines Landes und seiner
Zeit. Er konnte nur genießen, was er besaß, und er besaß nur, was
unter seinen Augen stand, was er mit den Händen fassen konnte.
Sein Gaumen hatte keine Phantasie. Für ihn gab es keine Erinnerung, keine Hoffnung, keine Sehnsucht, keine Gläubigkeit. Gott
selbst hätte ihm einen Wechsel auf eine Million, zahlbar in vier
Wochen, ausstellen können, er hätte den Wechsel für einen Dukaten verkauft.

Wie konnte aber ein so gottloser Mann einen so reich begabten
Geist haben, da aller Geist nur von Gott kömmt? Goethe hatte
sich dem Teufel verschrieben.

Kein erhabener Mensch, kein großer Fürst, kein Gott hat je eine
seelenvollere, glühendere, herzinnigere Anbetung gefunden, als
sie Goethe von Bettinen empfing. Ihre Briefe sind Gebete des
Geschöpfes an seinen Schöpfer, jedes Wort zu seiner Verherrlichung. Ein Gott selbst hätte solche Lobpreisungen nur mit Rüh-
rung und Demut aufgenommen und gesagt: ich will werden, was
ich scheine. Wie aber nahm sie Goethe auf? Bettinens Gefühle
fand er oft zu natürlich, ihre Gedanken zu roh, und dann schickte
er sie ihr gekocht zurück. Die Prosa ihrer Briefe putzte er in Poesie, machte Sonette daraus und besang und verherrlichte sich
selbst mit der erstaunenswürdigsten Sachdenklichkeit. Bacchus,
obzwar Herr des Weins, wird doch oft sein Diener und berauscht
sich selbst; aber Goethe hat einen starken, felsenfesten Kopf; er
kann Fässer seines Lobes austrinken und es schwindelt ihn nicht
und er wankt nicht!

Goethe hatte weder Sinn noch Geist für edle Liebe, er verstand
ihre Sprache nicht, noch ihr stummes Leiden. Die Liebe, die er
begriff, die ihn ergriff, das war die gemeine, jenes Herzklopfen,
das aus dem Unterleibe kömmt; und selbst in dieser galt ihm nur
geliebt *werden*, lieben galt ihm nichts. Abends, wenn Goethe
müde war vom Stolze, ward er eitel sich auszuruhen. Man mu-
stere die liebenden Paare, die durch seine Dichtungen streichen,
loses Gesindel, das in allen Reichsstädten dem Konsistorium zu-
gefallen wäre. Die glückliche Liebe ist ein Verbrechen, die unglückliche ein verbrecherischer Wunsch. Sinnlichkeit, Eitelkeit,
Heuchelei mit Stickereien von blumigen Redensarten als Schleier
darüber. Seine geliebten Frauen sind Maitressen, seine geliebten
Männer Günstlinge – und bezahlt. Die Liebeswirtschaft in Wil-

helm Meister hätte die Polizei keinen Tag geduldet, wären nicht Barone und Gräfinnen dabei im Spiele gewesen.

Goethe fürchtete sich vor der Liebe, denn alles, was er nicht mit Händen greifen konnte, war ihm Gespenst. Er schlug sie tot auf seine gewohnte Weise. Die Liebe war ihm Chemie des Herzens, Sympathie nannte er Wahlverwandtschaft. Er stellte die Liebe in gut verstöpselten Gläsern in sein Laboratorium, und da war ihm wohl.

Bettine erzählt Goethe von seinen Kinderjahren, was sie von seiner Mutter gehört: »Einmal stand jemand am Fenster bei Deiner Mutter, da Du eben über die Straße herkamst mit mehrern andern Knaben; sie bemerkten, daß Du sehr gravitätisch einherschrittest und hielten Dir vor, daß Du Dich mit Deinem Geradehalten sehr sonderbar von den andern Knaben auszeichnetest. Mit diesem mache ich den Anfang, sagtest Du, und später werde ich mich noch mit allerlei auszeichnen.«

Knaben, die sich gerade halten, werden Männer, die sich bükken, und darin hat sich Goethe ausgezeichnet, er hat sich tief gebückt vor allen, die sich noch gerader gehalten als er.

Seine Mutter erzählt weiter: »In seiner Kleidung war er nun ganz entsetzlich eigen; ich mußte ihm täglich drei Toiletten besorgen. Auf einen Stuhl hing ich einen Überrock, lange Beinkleider, ordinäre Weste, stellte ein paar Stiefel dazu. Auf den zweiten einen Frack, seidne Strümpfe, die er schon angehabt hatte, Schuhe usw. Auf den dritten kam alles vom feinsten, nebst Degen und Haarbeutel. Das erste zog er im Hause an, das zweite, wenn er zu täglichen Bekannten ging, das dritte zur Gala.«

Goethe war stolz und hochmütig, aber alle seine große[n] Gaben berechtigten ihn zu keinem Stolze, denn die Gaben, die allein dazu berechtigen, fehlten ihm: Mut und Seelengröße. Und ist man ein Dichter ohne Mut? Wahrheit und Schönheit sind verzauberte Prinzessinnen. Gar manchen Riesen und Drachen mußte man erlegen, durch Feuer und Wasser gehen, über einen Draht reiten um sie zu erlösen. Aber Goethe ist auch kein Dichter; die Muse war ihm nie vermählt, sie war seine Dirne, die sich ihm hingab für Geld und Putz, und Bastarde sind die Kinder seines Geistes.

Ja wahrlich, Goethe mußte, um seine Freundin erträglich, um sie nur begreiflich, und in seinem Naturalienkabinett ein Schubfach für sie zu finden, sie als seine Hofnärrin betrachten.

Wenn Bettine ihre schöne Begeisterung für die Treue, den Heldenmut der Tiroler und ihren Schmerz und Zorn bei Hofers Tod Goethen anvertraut und von ihm Verständnis, Erwiderung ihrer Gefühle erwartet, muß man da nicht laut auflachen über das närrische Kind, das seiner Puppe seine Leiden vorweint? Und möchte man nicht laut aufweinen, wenn man gewahrt, wie ein so bedeutender Mann als Goethe vor jeder Empfindung bleich wird und zittert, weil er die hypochondrische Einbildung hat, das Herz wäre von Glas und müsse brechen von einer heftigen Berührung? Ja wahrlich, Goethe hatte eine fixe Idee, so traurig als man nur je eine im Irrenhause fand. Die Natur verwahrt alle ihre Kleinodien in Futteralen, wie der Mensch; aber für Goethe galten die Futterale selbst als Kleinodie; innen die Kostbarkeiten gewahrte er gar nicht, und wenn ja, betrachtete er sie als eingeschlossene Diebe, die seinen Schatz bedrohten. Goethe hatte eine lächerliche Schachtelwut; er nannte das Kunstliebe, seine Verehrer nannten es Kunstkennerschaft, Sachdenklichkeit. Aber das war eine betrübliche Kunstliebe, eine lächerliche Kunstkennerschaft und eine wahnsinnige Sachdenklichkeit. Jedes Kunstwerk ist der sterbliche Leib eines unsterblichen Gedankens, die Versinnlichung des Übersinnlichen. Aber für Goethe war ein Kunstwerk der Sarg einer Idee, und hörte er etwas sich darin rühren, floh er entsetzt davon, ihm schauderte vor der lebendig begrabenen.

Es gibt keine Staatsgeheimnisse mehr. Goethes ehemalige Minister und Günstlinge werden freilich die Verwirrungen ihres Gebieters auch nach dessen Tode nicht verraten; aber mögen sie schweigen so tief sie wollen, wer errät es nicht, daß Bettine Goethes Quälgeist war, und daß sie ihn mit ihren Briefen, mit ihren Besuchen oft zur Verzweiflung gebracht haben mußte? Mit ihrer Begeisterung, ihrer Schwärmerei, ihrer schattenlosen Mittagslust, ihren Gedanken, Sternschnuppen gleich, dem Kometenwandel ihrer Phantasie konnte Goethes Sachdenklichkeit nicht fertig werden. Nicht in seiner Gemäldegalerie, nicht in seinem Naturalienkabinette wollte sie still halten, ja aus dem festesten unterirdischen Gedichte wußte sie zu entspringen. Das eine, was ihm mit ihr gelang und ihn vor Trostlosigkeit auf kurze Zeit schützte, war, daß er sie wie Sand auf eine Glastafel streute und sie zu Chladnischen Klangfiguren formte. Aber wie lang half das und wie wenig! Hatte sie anschwindelnd getanzt bis zur willkommenen Gestaltung – ein Lüftchen, und sie stäubte wieder auseinander.

Nach einer langen Reihe von Briefen, worin sie mit Goethe von Musik, von Liebe, von der schöpferischen Natur, von Freiheit, von Vaterland, von Andreas Hofers Tode gesprochen, schrieb ihr der betrübte Freund zurück: »Indem ich nun Deinen letzten Brief zu den andern lege, so finde ich abermals mit diesem eine interessante Epoche abgeschlossen. Durch einen lieblichen Irrgarten zwischen philosophischen, historischen und musikalischen Ansichten hast Du mich zum Tempel des Mars geleitet.« Um den Lichtwechsel und den launischen Gang der Liebe zu begreifen, mußte er sich das Herz als einen englischen Garten vorstellen, und um aus Andreas Hofer etwas zu machen, ließ er ihn als einen Priester des Marstempels gelten. Der unglückliche Mann, der nur in einem Kerker ruhig schlafen konnte!

Goethe hat nur das Räumliche und das Zeitliche verstanden, das Unendliche und die Ewigkeit verstand er nicht; aber unsterblich ist nur, wer die Unsterblichkeit begreift. Lächerlicheres gibt es nicht auf der Welt als Gott und Teufel, wie sie Goethe in seinem viel gepriesenen Faust dargestellt; Goethe hat Gott und Teufel nach seinem Ebenbilde geschaffen. Dort ist Gottes Weisheit fünf grade sein lassen; und des Teufels Klugheit, es mit Gott nicht zu verderben, weil er doch ein vornehmer Herr ist.

Hätte Bettine die schöne Musik ihres Herzens vor rohen Ohren hören lassen, vor einem Philister ihrer Vaterstadt, vor einem Sachsenhäuser, der aus dem Apfelwein seine Begeisterung schöpft – es hätte uns gewundert aber nicht verdrossen. Wir hätten gedacht: sie ist ein Sonntagskind, die einen edlen Geist da erkennt, wo wir Wochenmenschen nur die rohe Hülle sehen. Aber daß sie sich Goethen zugewendet, der seinen ganzen Schatz an den Koffer verwendet, der bei andern großen Geistern den Schatz einschließt; den jeder Alltagsmensch begreift, nach seinem vollen Werte schätzt, weil er nichts zu erraten übrig läßt, weil er sein eigener Hintergrund ist – das betrübt uns.

Goethe hat nur verstanden, was tot war, und darum tötete er jedes Leben um es zu verstehen. Nicht die Natur, nicht den Menschen faßte er. Er zerstückelte das Leben in seine Glieder, in seine einzelnen Organe und zeichnete sie sehr richtig, wie in den besten anatomischen Kupfertafeln. Freilich findet Ihr alles in seinen Schriften, Hand und Fuß, Rumpf und Schädel, Herz und

Nieren; aber setzt sie nur zusammen, macht einen lebendigen Menschen daraus, wenn Ihr könnt. Ihr findet freilich Sterne und Götter in seinen Dichtungen, aber gerissen aus ihrer Liebesbahn, Ihr macht nie einen Himmel daraus. Goethe lebt nur in seinen Liedern, da allein ist er ganz und vollständig; denn das Lied ist die Scheidemünze der Poesie, die sich nicht mehr teilen läßt, die nicht mehr gewechselt werden kann.

Bettine ist ein reichbegabtes, gottgesegnetes Kind, das wir lieben und verehren müssen. Sie ist glückliche Gespielin der Blumen, Vertraute der Nachtigall; sie verstand die *Sprache der Stille*, der Goethe taub war, und wußte das Mienenspiel der stummen Natur zu deuten. Ihr waren die Sterne näher, sie leuchteten ihr wie uns Mond und Sonne. Ihr Buch ist ein Gedicht und ihr Leben ein holdes Märchen. Goethes Nachwelt ist auch die ihre, sie richtet beide. Wird Goethe verurteilt, ist Bettine freigesprochen, wird Goethe freigesprochen, ist Bettine schuldig. Goethe nannte sie eine Närrin, und er mußte wohl; denn Bettine selbst sagt es: »Narrheit ist die rechte Scheidewand zwischen dem ewig Unsterblichen und dem zeitlich Vergänglichen.«

Goethe wagte sich nicht zu berauschen im Weine der Begeisterung. Er hätte Wasser in den Nektar selbst gemischt, ihn wie Arznei getrunken, ängstlich in Maß und Zeit.

Bettine besiegte Goethen, aber nicht wie die Liebe besiegt: er floh vor ihr, und so eilig und angstvoll, daß er nicht einmal seinen Körper mitnahm.

Die Biene erquickt uns nicht bloß mit Honig, sie spendet uns auch das Licht der Nacht. So soll auch der Dichter sein: süß dem Freudedurstigen, leuchtend in der Dunkelheit der Trauer. Goethe war nur das erstere, der Dichter der Glücklichen, er war nicht der Dichter der Menge. Keiner weint an seinem Grabe, denn nur die Unglücklichen haben Tränen.

Goethe hat nur immer der Selbstsucht, der Lieblosigkeit geschmeichelt; darum lieben ihn die Lieblosen. Er hat die gebildeten Leute gelehrt, wie man gebildet sein könne, freisinnig und ohne Vorurteile und doch ein Selbstling; wie man alle Laster haben könne ohne ihre Roheit, alle Schwächen ohne ihre Lächerlichkeit; wie man den Geist rein erhalte von dem Schmutze des Herzens, mit Anstand sündige und den Stoff jeder Nichtswürdigkeit durch eine schöne Kunstform veredle. Und weil er sie das gelehrt, verehren ihn die gebildeten Leute.

Goethe hat sich mit wenigen Worten treffender und wahrer geschildert, als es irgend ein anderer vermöchte. Er sagt in seinem Leben: »*Es liegt nun einmal in meiner Natur, ich will lieber eine Ungerechtigkeit begehen, als eine Unordnung ertragen.*« So war Goethe immer und überall, so hat er sich gezeigt in allen seinen Worten und Handlungen. Wenn edle Menschen sich gegen ihre böse, tyrannische Natur empören, sich von ihr frei zu machen suchen, war es Goethes Weishheit, sich ihr zu unterwerfen mit Lakaiendemut. Die Liebe, die alle Trennung aufhebt, die kunsttötende, galt ihm für Unordnung. Für Unordnung galt ihm, wenn die Macht wechselte, wie alles wechselt, und von dem Starken zu dem Schwachen, von den Unterdrückern zu den Unterdrückten überging. Goethe war ein Stabilitätsnarr, und die Bequemlichkeit war seine Religion. Er hätte gern die Zeit an den Raum festgenagelt. Das gelang ihm nicht, aber es gelang ihm, sein Volk aufzuhalten, da er lebte und noch nach seinem Tode; denn über seine Leiche muß es schreiten, will es zu seinem Ruhme und seinem Glücke kommen.

Blind ist jede Liebe, aber blinder hat sie sich noch nie gezeigt als bei Bettine. Ihr Buch, bekannt gemacht zur Verherrlichung Goethes, hat seine Blöße gezeigt, hat seine geheimsten Gebrechen aufgedeckt. Die arme Bettine rieb sich die Hände wund ihren Gott zu reinigen, es gelang ihr nicht; sie hat ihm manchmal den Kopf gewaschen, aber das Herz konnte sie ihm nicht waschen. Wäre die Liebe nicht blind, hätte sie statt *zu* Goethe *für* ihn gebetet, gebetet mit seinen eignen schönen Worten:

> Ist auf deinem Psalter,
> Vater der Liebe, ein Ton
> Seinem Ohre vernehmlich,
> So erquicke sein Herz!
> Öffne den umwölkten Blick
> Über die tausend Quellen
> Neben dem Durstenden
> In der Wüste.

Über Goethes Kommentar zum Diwan
(ca. 1830)

Merkwürdig ist der Kommentar zum Diwan. Durch ihn wird Goethe deutlicher, als er sich selbst gemacht in seinem beschriebenen Leben. Darin ist alles Wahrheit und nirgends Dichtung. In dem Garten der Poesie hat der Dichter einmal die Blumen mit der Wurzel ausgerissen; wir sehen den Farbenglanz der Blüten, wir sehen die dunkle Erde. Er hat nicht gut getan, aus dem Schweigen seines ganzen Lebens zu treten; er hat nicht gut getan, eine Brücke zu bauen, die von der Bewunderung zur Untersuchung führt. Vieles hat man ihm vorgeworfen; doch fehlte das eigene Geständnis seiner Schuld. Nach dem Diwan fehlte es nicht mehr.

Meinungen sind frei. Philosophie und Kunst mögen sie beurteilen, verurteilen darf man sie nie. Ganz persönlicher Art, stehen sie unter keinem Gesetze und übertreten kein Gesetz, wohin sie auch schweifen. *Gesinnungen* aber stehen unter dem Gesetze der Sittlichkeit und werden gerichtet. Nicht was Goethe meint, wie er gesinnt ist, zeigt der Diwan.

Mahomet hat beteuert: er wäre Prophet und kein Poet. Goethe will nun den Unterschied zwischen Propheten und Poeten näher andeuten und sagt: »*Der Poet vergeudet die ihm verliehene Gabe im Genuß, um Genuß hervorzubringen, Ehre durch das Hervorgebrachte zu erlangen; allenfalls ein bequemes Leben. Alle übrigen Zwecke versäumt er... Der Prophet hingegen sieht nur auf einen einzigen bestimmten Zweck... Irgend eine Lehre will er verkünden. Hierzu bedarf es nur, daß die Welt glaube, er muß also eintönig werden und bleiben.*« – Nein – den Propheten und den Poeten unterscheidet nur ein Wort. Für den Poeten gibt es keine Zukunft, denn ihm ist alles gegenwärtig; für den Propheten gibt es keine Gegenwart, denn sie ist ihm die Hülle der Zukunft. Beide lehren, beide sind eintönig; doch eintönig nur, wie der gleiche Himmel sich über alle irdische Mannigfaltigkeit verbreitet. Man kann im gleichen Tone verschiedene Melodien spielen. Der Prophet zeigt seinen Gott überall, die Kunst die Einheit in der Mehrheit. Wehe dem Dichter, der nicht wie der Prophet Glauben sucht und findet; dreifach wehe ihm, wenn er nur Genüsse erstrebt und gibt, und um schnöden Beifall und um schnödern Gewinst des Himmels heilige Gunst vermäkelt!

Mit der seeleninnigsten Behaglichkeit preist Goethe in seinem Diwan die *Despotie*. Kein Liebchen im Leben und im Gedichte war ihm je so wert als diese stolze Schöne, die ihre Verächter in eisernen, ihre Verehrer in goldenen Ketten nach sich schleppt und sich feilbietende Menschenwürde mit nichts als einer dummen Farbe bezahlt. Wer noch sonst als der einzige deutsche Goethe war je so schamlos, das Knechtische in der Natur des Menschen zu verherrlichen und nackt zu zeigen, was ein edler Mensch mit Trauer bedeckt? Tyrannen hat schon mancher Dichter geschmeichelt, der Tyrannei noch keiner.

Da will er einmal zeigen, wie unter den verschiedenen Regierungsformen die Charaktere sich auf verschiedene Weise ausbilden, und er sagt: »In der *Republik* bilden sich große, glückliche, ruhig-rein tätige Charaktere; steigert *(steigert!)* sie sich zur *Aristokratie*, so entstehen würdige, konsequente, tüchtige, im Befehlen und Gehorchen bewunderungswürdige Männer. Die *Despotie* dagegen schafft große Charaktere; kluge, ruhige Übersicht, strenge Tätigkeit, Festigkeit, Entschlossenheit, alles Eigenschaften, die man braucht, um den Despoten zu dienen, entwickeln sich in fähigen Geistern und verschaffen ihnen die ersten Stellen des Staats, wo sie sich zu Herrschern ausbilden.«

Aus meinem Tagebuche
(1830)

Frankfurt, den 30. April
Kostbar ist ein Brief, den Goethe auf einer Reise nach der Schweiz aus Frankfurt an Schiller geschrieben. Wer ihn ohne Lachen lesen kann, den lache ich aus. Goethe, der an nichts Arges denkt und im Schoße des Friedens ruhig und guter Dinge lebt, entdeckt plötzlich in der Residenz seines Lebens deutliche Spuren von *Sentimentalität*. Erschrocken und argwöhnisch, wie ein Polizeidirektor, sieht er darin demagogische Umtriebe des Herzens – demagogische Umtriebe, die, als gar nicht *real*, sondern *nebulistischer* Natur, ihm noch verhaßter sein müssen als Knoblauch, Wanzen und Tabakrauch. Er leitet eine strenge Untersuchung ein. Aber – er war noch im achtzehnten Jahrhundert – nicht ohne alle Gerechtigkeit und bedenkend, daß ihm doch auf der ganzen Reise nichts, gar nichts »*nur irgend eine Art von Empfindung gegeben hätte*«, findet er, daß, was er für Sentimenta-

lität gehalten, nur eine unschuldige wissenschaftliche Bewegung gewesen sei, die ein leichtes Kunstfieber zur Folge hatte. Die Gegenstände, welche das Blut aufgeregt, seien *symbolisch* gewesen. Für Zeichen dürfen sich gute Bürger erhitzen, aber nicht für das Bezeichnete. Darauf wird das Herz in Freiheit gesetzt, versteht sich gegen Kaution, und es wird unter Polizeiaufsicht gestellt. Doch will Goethe die Sache nicht auf sich allein nehmen; er berichtet an Schiller, als seinen Justizminister, darüber und bittet ihn gehorsamst, das *Phänomen* zu erklären. Schiller lobt Goethe wegen seiner Achtsamkeit und seines Eifers, beruhigt ihn aber und sagt, die Sache habe nichts zu bedeuten.

Dieser Kriminalfall ist wichtig, und ich wünschte, Jarke in Berlin behandelte ihn mit demselben Geiste, mit dem er in Hitzigs Journal Sands Mordtat besprochen.

Die Briefe ergötzen mich bloß, weil sie mir Langeweile machen. Etwas weniger langweilig, würden sie mich entsetzlich langweilen. Wären sie gefällig, was wär's? Schiller und Goethe! Aber daß unsere zwei größten Geister in ihrem Hause, dem Vaterlande des Genies, so nichts sind – nein, weniger als nichts, so wenig – das ist ein Wunder, und jedes Wunder erfreut, und wäre es auch eine Verwandlung des Goldes in Blei.

Wasser in Likörgläschen! Ein Briefwechsel ist wie ein Ehebund. Die Stille und die Einsamkeit erlaubt und verleitet viel zu sagen, was man andern verschweigt, ja was man mitteilend erst von sich selbst erfährt. Und was sagen sie sich? Was niemand erhorchen mag, was sie sich auf dem Markte hätten zuschreien dürfen.

Anfänglich schreibt Schiller: »*Hochwohlgeborener Herr, Hochzuverehrender Herr Geheimrat!*« Nun, diese Etikette hört freilich bald auf; aber es dauert noch lange, bis Schiller Goethes Hochwohlgeburt vergißt, und nur einmal in zehen Jahren ist er Mann genug, ihn *mein Freund, mein teurer Freund* zu nennen. Goethe aber vergißt nie seine Lehnsherrlichkeit über Schiller, man sieht ihn oft lächeln über dessen Zimmerlichkeit und ihn als einen blöden Buchdichter genädig und herablassend behandeln. Er schreibt ihm: *mein Wertester, mein Bester.*

Welch ein breites Gerede über Wilhelm Meister! *Quel bruit pour une omelette!* »Es sieht zuweilen aus, als schrieben Sie *für* die Schauspieler, da Sie doch nur *von* den Schauspielern schreiben wollen« – tadelt Schiller. Auch findet er unzart, daß Wilhelm von der Gräfin ein Geldgeschenk annimmt. Bei Goethe aber finden sich immer nur Maitressen oder *hommes entretenus*; wahre Liebe kennt er, erkennt er nicht und läßt sie nicht gelten. Der dumme Schiller! Ist nicht Wilhelm Meister ein bloßer Bürger, der keine Ehre zu haben braucht?

Mich ärgert von solchen Männern das pöbelhafte Deklinieren der Eigennamen. Sie sagen: die *Humboldtin*, sprechen von *Körnern, Lodern, Lavatern, Badern*. Auch bedienen sie sich, am meisten Schiller, einer zahllosen Menge von Fremdwörtern, und das ganz ohne Not, wo das deutsche Wort viel näher lag. *Stagnation, convenient, avanciert, incalculabel, Obstakeln, embarrassieren, retardieren, Desavantage, Arrangements, satisfeciert, Apercüs, Detresse, Tournüre, repondieren, incorrigibel*. Und solche Männer, die in ihren Werken so reines Deutsch schreiben! Ist das nicht ein Beweis, daß ihnen Leben und Kunst getrennt war, daß ihr Geist weit von ihrem Herzen lag?

Goethes Lieblingsworte sind: *heiter, artig, wunderlich*. Er fürchtet sogar sich zu wundern; was ihn in Erstaunen setzt, ist wunderlich. Er gönnt dem armen Worte die kleine Ehre der Überraschung nicht. Er scheut alle enthusiastischen Adjektive; – man kann sich so leicht dabei echauffieren.

Wie freue ich mich, daß der Konrektor Weber, der in den kalten Berliner Jahrbüchern den neuen Goethe mit brühheißem Lobe übergossen, nicht mehr in Frankfurt ist, sondern in Bremen vergöttert. Er ist ein starker, kräftiger Mann, und wenn er mich totschlagen wollte, ich könnte es ihm nicht wehren.

– – Mensch, du elender Sklave deines Blutes, wie magst du nur stolz sein? Du armes Schifflein auf diesem roten Meere, steigst und sinkst, wie es den launischen Wellen beliebt, und jede Blutstille spottet deiner Segel und deines Steuers! Der Puls ist der Hammer des Schicksals, womit es Könige und Helden schmiedet und Ketten für Völker und das Schwert, sie zu befreien, und große und kleine Gedanken und scharfe und stumpfe Empfindungen. Du König im Purpurkleide, wer kann dir widerstehen?... War ich doch gestern weich wie Mutterliebe, und heute spotte ich die deutschen Götter weg und schnarche in ihren Tempeln!

Frankfurt, den 4. Mai

Schiller wünscht die Chronologie von Goethes Werken zu kennen, um daraus zu sehen, wie sich der Dichter entwickelt habe, welchen Weg sein Geist gegangen sei. Er spricht von dessen *analytischer Periode.* Ihm wird die gebetene Belehrung, und darauf anatomiert er seinen hohen Gönner kalt wie ein Prosektor, aber bei lebendigem Leibe, und hält ihm, unter dem Schneiden, Vorlesungen über seinen wundervollen Bau. Goethe verzieht keine Miene dabei und erträgt das alles, als ginge es ihn selbst nichts an. Er schreibt seinem Zergliederer: »Zu meinem Geburtstage, der mir diese Woche erscheint, hätte mir kein angenehmeres Geschenk werden können als Ihr Brief, in welchem Sie mit freundschaftlicher Hand die Summe meiner Existenz ziehen.« Und jetzt bittet er Schiller, ihn auch mit dem Gange *seines* Geistes bekannt zu machen. Das alles ist um aus der Haut zu fahren! Freilich hat das Genie seine Geheimnisse, die wir anderen nicht kennen, noch ahnden. Aber ich hätte es nicht gedacht, daß es Art des Genies wäre, so sich selbst zu beobachten, so sich selbst nachzugehen auf allen Wegen, von der Laufbank bis zur Krücke. Ich meinte, das wahre Genie sei ein Kind, das gar nicht wisse, was es tut, gar nicht wisse, wie reich und glücklich es ist. Schiller und Goethe sprechen so oft von dem *Wie* und *Warum,* daß sie das *Was* darüber vergessen. Als Gott die Welt erschuf, da wußte es sicher nicht so deutlich das Wie und Warum, als es Goethe weiß von seinen eigenen Werken. Wer göttlichen Geistes voll, wer, hineingezogen in den Kreis himmlischer Gedanken, sich für Gott den Sohn hält – weicht auch die feste Erde unter seinen Schritten –, der mag immer gesund sein, nur verzückt ist er. Aber für Gott den Vater? Nein. Das ist Hochmut in seinem Falle, das ist Blödsinn. Nichts ist beleidigender für den Leser als eine gewisse Ruhe der schriftstellerischen Darstellung; denn sie setzt entweder Gleichgültigkeit oder Gewißheit zu gestalten voraus. So mit dürrem Ernste von sich selbst zu reden, ohne Eigenliebe, ohne Wärme, ohne Kindlichkeit, das scheint mir – ich mag das rechte Wort nicht finden. Wie ganz anders Voltaire! Seine Eitelkeit macht uns ihm gewogen. Wir freuen uns, daß ein Mann von so hohem Geiste um unser Urteil zittert, uns schmeichelt, zu gewinnen sucht.

Die Liebe hat die Briefpost erfunden, der Handel benutzt sie. Schiller und Goethe benutzen sich als Bücher; es ist eine didaktische Freundschaft, ein wechselseitiger Unterricht zwischen ihnen. Unsere beiden Dichter haben eigentlich ganz verschiedene Muttersprachen. Freilich versteht jeder auch die des andern, soviel man sie aus Buch und Umgang lernen kann; aber Goethe macht sich's wie ein Franzose immer bequem und redet mit Schiller seine eigene Sprache, und Schiller, als gefälliger Deutscher, spricht mit dem Ausländer seine ausländische. Von ihrer Freundschaft halte ich nicht viel. Sie kommen mir vor wie der Fuchs und der Storch, die sich bewirten: der Gast geht hungrig vom Tische, der Wirt, übersatt, lacht im stillen. Doch kommt Storch Schiller besser dabei weg, als Fuchs Goethe. Ersterer kann in Goethes Schüssel sich wenigstens seinen spitzen idealen Schnabel netzen; Goethe aber, mit seiner breiten realistischen Schnauze, kann gar nichts aus Schillers Flasche bringen.

Goethe schreibt: »Ich bin jetzt weder zu Großem noch zu Kleinem nütze und lese nur indessen, um mich im Guten zu erhalten, den Herodot und Thukydides, *an denen ich zum ersten Male eine ganz reine Freude habe, weil ich sie nur ihrer Form und nichts ihres Inhalts wegen lese*«. Bei den Göttern! Das ist ein *Egoist*, wie nicht noch einer! Goethe ummauert nicht bloß *sich*, daß ihn die Welt nicht überlaufe; er zerstückelt auch die Welt in lauter Ichheiten und sperrt jede besonders ein, daß sie nicht heraus könne, ihn nicht berühre, ehe er es haben will. Hätte er die Welt geschaffen, er hätte alle Steine in Schubfächer gelegt, sie gehörig zu *schematisieren*; hätte allen Tieren nur leere Felle gegeben, daß sie Liebhaber ausstopfen; hätte jede Landschaft in einen Rahmen gesperrt, daß es ein Gemälde werde, und jede Blume in einen Topf gesetzt, sie auf den Tisch zu stellen. Was in der Tat wäre auch *nebulistischer*, als das unleidliche Durcheinanderschwimmen auf einer Wiese! Goethes Hofleute bewundern das und nennen es *Sachdenklichkeit*; ich schlichter Bürger bemitleide das und nenne es *Schwachdenklichkeit*. Alle Empfindungen fürchtet er als wilde mutwillige Bestien und sperrt sie, ihrer Meister zu bleiben, in den metrischen Käfig ein. Er gesteht es selbst in einem Kapitel der Wahrheit aus seinem Leben, daß ihn in der Jugend jedes Gefühl gequält habe, bis er ein Gedicht daraus gemacht und so es los geworden sei. Bewahre der gute Gott mich und meine Freunde, daß wir nicht jeden Zug des Herzens als ungesunde Zugluft scheuen! Lieber nicht leben, als solch einer hypochondrisch-ängstlichen Seelendiät gehorchen! Tausendmal lieber krank sein!

Goethe *diktiert* seine Briefe auch aus Objektivsucht. Er fürchtet, wenn er selbst schriebe, es möchte etwas von seinem Subjekte am Objekte hängen bleiben, und er fürchtet Sympathie wie ein Gespenst. Er lebt nur in den Augen: wo kein Licht, ist ihm der

Tod. Das Licht zu schützen, umschattet er es. Was ist Form? Der Tod der Ewigkeit, die Gestalt Gottes... Ist Goethe glücklich zu nennen? Er ist so arm und so allein! Ihm kommt jeder Wunsch erst nach dessen Erfüllung, er begehrt nur, was er schon besitzt. Aber die Welt ist groß und der Mensch ist klein; er kann nicht alles fassen. Nur die Sehnsucht macht reich, nur die Religion, die, uns der Welt gebend, uns die Welt gibt, tut genug. Ich möchte nicht Goethe sein; er glaubt nichts, nicht einmal, was er weiß.

Ein Narr im *Gesellschafter* oder in einem andern Blatte dieser Familie ließ einmal mit großen Buchstaben drucken: *Goethe hat sich über die französische Revolution ausgesprochen.* Es war ein Trompetenschall, daß man meinte, ein König würde kommen, und es kam ein Hanswurst. Und doch wäre Goethe, gerade wegen seiner falschen Naturphilosophie, der rechte Mann, die französische Revolution gehörig aufzufassen und darzustellen. Aber er haßte die Freiheit so sehr, daß ihn selbst seine geliebte Notwendigkeit erbittert, sobald sie ein freundliches Wort für die Freiheit spricht. Er schreibt an Schiller: »Ich bin über des *Soulavie mémoires historiques et politiques du règne de Louis XVI.* geraten.... Im ganzen ist es der ungeheure Anblick von Bächen und Strömen, die sich nach Naturnotwendigkeit von vielen Höhen und vielen Tälern gegeneinander stürzen und endlich das Übersteigen eines großen Flusses und eine Überschwemmung veranlassen, in der zugrunde geht, wer sie vorhergesehen hat, so gut als der sie nicht ahnete. Man sieht in dieser ungeheuren Empirie nichts als Natur und nichts von dem, was wir Philosophen gern Freiheit nennen möchten.« Goethe, als Künstler Notwendigkeit und keine Freiheit erkennend, zeigt hier eine ganz richtige Ansicht von der französischen Revolution, und ohne daß er es will und weiß, erklärt er sie nicht bloß, sondern verteidigt sie auch, die er doch sonst so hasset. Er hasset alles *Werden*, jede *Bewegung*, weil das Werdende und das Bewegte sich zu keinem Kunstwerke eignet, das er nach seiner Weise fassen und bequem genießen kann. Für den wahren Kunstphilosophen aber gibt es nicht Werdendes noch Bewegtes; denn das Werdende in jedem Punkte der Zeit, das Bewegte in jedem Punkte des Raumes, den es durchläuft, *ist* in diesem Punkte, und der schnelle Blick, der ein so kurzes Dasein aufzufassen vermag, wird es als Kunstwerk erkennen. Für den wahren Naturphilosophen gibt es keine Geschichte und keine Gärung; alles ist geschehen, alles fest, alles erschaffen. Aber

Goethe hat den Schwindel wie ein anderer auch, nur weiß er es nicht, daß das Drehen und Schwanken in der Vorstellung liegt und nicht in dem Vorgestellten.

Soden, den 18. Mai
Ich war immer erstaunt, daß unsern zwei größten Dichtern der Witz gänzlich mangelt; aber ich dachte: sie haben Adelsstolz des Geistes und scheuen sich, da, wo sie öffentlich erscheinen, gegen den Witz, der plebejischer Geburt ist, Vertraulichkeit zu zeigen. Im Hause, wenn sie keiner bemerkt, werden sie wohl witzig sein. Doch als ich ihren Briefwechsel gelesen, fand ich, daß sie im Schlafrocke nicht mehr Witz haben als wenn den Degen an der Seite. Einmal sagt Schiller von Fichte: »Die Welt ist ihm nur ein Ball, den das Ich geworfen hat und den es bei der Reflexion wieder fängt.« Man ist erstaunt, verwundert; aber diese witzige Laune kehrt in dem bänderreichen Werke kein zweites Mal zurück.

Der Mangel an Witz tritt bei Goethe und Schiller da am häßlichsten hervor, wo sie in ihren vertraulichen Mitteilungen Menschen, Schriftsteller und Bücher beurteilen. Es geschieht dieses oft sehr derb, oft sehr grob; aber es geschieht ohne Witz. Das Feuer brennt, aber es leuchtet auch; das Licht warnt vor dem Schmerz und bezahlt ihn. Tadel ohne Witz ist Glut ohne Licht. Das Lob braucht den Witz, verträgt ihn nicht; Wohlgefallen ist nur, wo Einheit der Empfindung, und der Witz trennt, zerreißt. Der Tadel braucht ihn; der Witz macht ihn milder, erhebt den Ärger zu einem Kunstwerke. Ohne ihn ist Kritik gemein und boshaft.

Ich weiß nicht, wie hoch die Gesetzbücher der Ästhetik den Witz stellen; aber ohne Witz, sei man noch so großer Dichter, kann man nicht auf die Menschheit wirken. Man wird nur Menschen bewegen, Zeitgenossen, und sterben mit ihnen. Ohne Witz hat man kein Herz, die Leiden seiner Brüder zu erraten, keinen Mut, für sie zu streiten. Er ist der Arm, womit der Bettler den Reichen an seine Brust drückt, womit der Kleine den Großen besiegt. Er ist der Enterhaken, der feindliche Schiffe anzieht und festhält. Er ist der unerschrockene Anwalt des Rechtes und der Glaube, der Gott *sieht*, wo ihn noch kein anderer ahndet. Der Witz ist das demokratische Prinzip im Reiche des Geistes; der Volkstribun, der, ob auch ein König wolle, sagt: *ich will nicht!*

Der Verstand ist Brot, das sättigt; der Witz ist Gewürz, daß eß-lustig macht. Der Verstand wird verbraucht durch den Gebrauch, der Witz erhält seine Kraft für alle Zeiten. Goethes und Schillers so verständige Lehren nützen nicht mehr; denn man hat ihre Leh-ren befolgt, und neues Wissen braucht neue Regeln. Auch Les-sing und Voltaire haben gelehrt, die Kunst und ihre Zeit haben von ihnen gelernt; aber ihre Lehren sind für immer. Sie kämpften mit dem Witze, und der Witz ist ein Schwert, das in jedem Kampfe zu gebrauchen. Die Geschichte zählt große Menschen, die sind *Register der Vergangenheit*: so Goethe und Schiller. Sie zählt wieder andere, die sind *Inhaltsverzeichnisse der Zukunft*: so Voltaire und Lessing.

– Ihr, die ihr nicht Menschen, nur Göttern glaubt: so hört doch einmal, was eure verehrten Orakel sprechen! Schiller, wo er an Goethe von dem schlechten Absatze der *Propyläen* berichtet, spricht von der »ganz unerhörten Erbärmlichkeit des Publi-kums«... Er schreibt: »Ich darf an diese Sache gar nicht denken, wenn sie mein Blut nicht in Bewegung setzen soll, denn einen so niederträchtigen Begriff hat mir noch nichts von dem deutschen Publikum gegeben«... Er meint: »Den Deutschen muß man die Wahrheit so derb sagen, als möglich.« Ach! diese Wahrheit habe ich schon oft gesagt und derber als Schiller. Man muß nicht aufhö-ren, sie zu ärgern; das allein kann helfen. Man soll sie nicht ein-zeln ärgern – es wäre unrecht, es sind sogar gute Leute, man muß sie in Masse ärgern. Man muß sie zum Nationalärger stacheln, kann man sie nicht zur Nationalfreude begeistern, und vielleicht führt das eine zum andern. Man muß ihnen Tag und Nacht zuru-fen: Ihr seid keine Nation, Ihr taugt nichts als Nation. Man darf nicht vernünftig, man muß unvernünftig, leidenschaftlich mit ih-nen sprechen; denn nicht die Vernunft fehlt ihnen, sondern die Unvernunft, die Leidenschaft, ohne welche der Verstand keine Füße hat. Sie ganz Kopf – *caput mortuum*. Europa gärt, steigt, klärt sich auf; Deutschland trübt sich, sinkt und setzt sich ganz un-ten nieder. Das nennen die Staatschemiker: die Ruhe, den Frie-den, den trocknen Weg des Regierens.

Doch haben Goethe und Schiller das Recht, auf das Volk, dem sie angehören, so stolz herabzusehen? Sie weniger als einer. Sie haben es nicht geliebt, sie haben es verachtet, sie haben für ihr Volk nichts getan. Aber ein Volk ist wie ein Kind, man muß es be-lehren, man kann es schelten, strafen; doch soll man nur streng scheinen, nicht es sein; man soll den Zorn auf den Lippen haben und Liebe im Herzen. Schiller und Goethe lebten nur unter ausgewählten Menschen, und Schiller war noch ein schlimmerer Aristokrat als Goethe. Dieser hielt es mit dem Vornehmen, den Mächtigen, Reichen, mit dem bürgerlichen Adel. *Der* Troß ist zahlreich genug; es kann wohl auch ein Unberechtigter ihrem Zuge folgen und sich unentdeckt in ihre Reihen mischen; und wird er entdeckt, man duldet ihn oft. Schiller aber zechte mit dem *Adel der Menschheit* an einem kleinen Tischchen, und den ungebetenen Gast warf er zornig hinaus. Und seine Ritter der Menschheit wissen das Schwert nicht zu führen, sie schwätzen bloß und lassen sich totschlagen; es ist ein deklamierender Komödiantenadel. Marquis Posa spricht in der Höhle des Tigers wie ein Pfarrer vor seiner zahmen Gemeinde und vergißt, daß man mit Tyrannen kämpfen soll, nicht rechten. Der Vormund des Volkes muß auch sein Anführer sein; einer Themis ohne Schwert wirft man die Waage an den Kopf.

Wenn Gottes Donner rollen und niederschmettern das Gequieke der Menschlein da unten: dann horcht ein edles Herz und jauchzet und betet an, und wer angstvoll ist, hört und ist still und betet. Der Dämische aber verstopft sich die Ohren und hört nicht und betet nicht und betet nicht an. Schiller, während der heißen Tage der französischen Revolution, schrieb in der Ankündigung der *Horen*: »Vorzüglich aber und unbedingt wird sich die Zeitschrift alles verbieten, was sich auf Staatsreligion und politische Verfassung bezieht.« So spricht noch heute jeder Lump von Journalist, wenn er, um die Leser lüstern zu machen und nach dem neuen Blatte, sie versichert, es werde das reine Gold der Novellen, der Theaterberichte mitteilen, ohne alle garstige Legierung mit Glaube und Freiheit. Schiller war edel, aber nicht edler als sein Volk. So sprach und dachte auch Goethe. Sendet *dazu* der Himmel der durstigen Menschheit seine Dichter, daß *sie* trinken, sie mit den Königen und daß wir, den Wein vor den Augen, den sie nicht mit uns teilen, noch mehr verschmachten? Und so denkend und so sprechend, geziemt es ihnen zu klagen: »So weit ist es noch nicht mit der Kultur der Deutschen gekommen, daß sich das, was den Besten gefällt, in Jedermanns Hände finden sollte?« Wie kann sich in Jedermanns Hände finden, wonach nicht Jedermann greift, weil es, wie Religion und Bürgertum, nicht Jedermann angeht? Soll etwa das deutsche Volk aufjauchzen und die

Schnupftücher schwenken, wenn Goethe mit Myrons Kuh liebäugelt?

Soden, den 20. Mai

Ich habe Goethes und Schillers Briefe zu Ende gelesen; das hätte
ich mir nicht zugetraut. Vielleicht nützt es meiner Gesundheit als
Wasserkur. Mich für meine beharrliche Diät zu belohnen, will ich
mir die hochpreislichen Rezensionen zu verschaffen suchen, die
über diesen Briefwechsel gewiß erschienen sein werden. Ich freue
mehr sehr darauf. Was werden sie über das Buch nicht alles gefa-
selt, was nicht alles darin gefunden haben! Goethe hat viele Anhänger, er hat, als echter Monarch, es immer mit dem literarischen Pöbel gehalten, um die reichen unabhängigen Schriftsteller
in die Mitte zu nehmen und einzuengen. Er für sich hat sich immer
vornehm gehalten, er hat nie selbst von oben gedrückt; er ist ste-
hengeblieben und hat seinen Janhagel von unten drücken lassen.
Nichts ist wunderlicher als die Art, wie man über Goethe spricht –
ich sage die *Art*; ich sage nicht, es sei wunderlich, daß man ihn
hochpreist; das ist erklärlich und verzeihlich. Man behandelt ihn
ernst und trocken als ein Corpus Juris. Man erzählt mit vieler Gelehrsamkeit die Geschichte seiner Entstehung und Bildung; man
erklärt die dunkeln Stellen; man sammelt die Parallelstellen; man
ist ein Narr. Ein Bewunderer Goethes sagte mir einmal: um dessen Dichtwerke zu verstehen, müsse man auch seine naturwissen-
schaftlichen Werke kennen. Diese kenne ich freilich nicht; aber
was ist das für ein Kunstwerk, das sich nicht selbst erklärt? Weiß
ich denn ein Wort von Shakespeares Bildungsgeschichte und verstehe ich den Hamlet darum weniger, soviel man etwas verstehen
kann, das uns entzückt? Muß man, den Macbeth zu verstehen,
auch den Othello gelesen haben? Aber Goethe hat durch sein di-
plomatisches Verfahren die Ansicht geltend gemacht, man müsse
alle seine Werke kennen, um jedes einzelne gehörig aufzufassen;
er wollte in Bausch und Bogen bewundert sein. Ich bin aber gewiß, daß die erbende Zukunft Goethes Hinterlassenschaft nur
cum beneficio inventarii antreten werde. Ein Goethepfaffe, der so
glücklich war, eine ganze Brieftasche voll ungedruckter Zettel-
chen von seinem Gotte zu besitzen, breitete einmal seine Reli-
quien vor meinen Augen aus, fuhr mit zarten, frommen Fingern
darüber her und sagte mit Wasser im Munde: »*Jede Zeile ist köst-
lich!*« Mein guter Freund wird diesen Briefwechsel, der funfzig-

tausend köstliche Zeilen von Goethe enthält, als ein *grünes Gewölbe* anstaunen: ich aber gebe lieber für das Dresdner meinen Dukaten Bewunderung hin.

Aber in dem letzten Bande der Briefsammlung ist es geschehen, daß Goethe einmal, ein einziges Mal in seinem langen Leben, sich zur schönen Bruderliebe wandte, weil er sich vergessen, sich verwirrt und vom alten ausgetretenen Wege der Selbstsucht abgekommen war. In der Zueignung des Buches an den edlen König von Bayern, worin er diesem Fürsten für die von ihm empfangenen Beweise der Gnade dankt, gedenkt er Schillers, des verstorbenen Freundes, und beweint, daß nicht auch er, da er noch lebte, sich solcher fürstlichen Huld zu erfreuen gehabt; ja ihn rührt der Gedanke, daß Schiller vielleicht noch lebte, wäre ihm solche Huld zu Teile geworden. Goethe sagt: »Der Gedanke, wieviel auch er von Glück und Genuß verloren, drang sich mir erst lebhaft auf, seit ich Ew. Majestät höchster Gunst und Gnade, Teilnahme und Mitteilung, Auszeichnung und Bereicherung, wodurch ich frische Anmut über meine hohen Jahre verbreitet sah, mich zu erfreuen hatte... Nun ward ich zu dem Gedanken und der Vorstellung geführt, daß auf Ew. Majestät ausgesprochene Gesinnungen dieses alles dem Freunde in hohem Maße widerfahren wäre; umso erwünschter und förderlicher, als er das Glück in frischen, vermögsamen Jahren hätte genießen können. Durch allerhöchste Gunst wäre sein Dasein durchaus erleichtert, häusliche Sorgen entfernt, seine Umgebung erweitert, derselbe auch wohl in ein heilsameres besseres Klima versetzt worden, seine Arbeiten hätte man dadurch belebt und beschleunigt gesehen, dem höchsten Gönner selbst zu fortwährender Freude, und der Welt zu dauernder Erbauung.«

Dürfen wir unsern Augen trauen? Der Geheimrat von Goethe, der Karlsbader Dichter, wagt es, deutsche Fürsten zu schelten, daß sie Schiller, den Stolz und die Zierde des Vaterlandes, verkümmern ließen? Er wagt es, so von höchsten und allerhöchsten Personen zu sprechen? Ist der Mann jung geworden in seinem hohen Alter? Ach nein, es ist Altersschwäche; es war keine freie Bewegung der Seele, es war ein Seelenkrampf gewesen. Aber das verdammt ihn, daß er nicht vierzig Jahre früher und auch bei jedem Anlasse so hervorgetreten – das verdammt ihn, weil wir jetzt sahen und erkannten, wie er hätte wirken können, wenn er es getan. Er hat durch die wenigen Worte seines leisen Tadels ein

Wunder bewirkt! Er hat die festverschlossene, uneindringliche Amtsbrust eines deutschen Staatsdieners wie durch Zauberei geöffnet! Er hat den fünfundzwanzigjährigen Frost der strengsten Verschwiegenheit durch einen einzigen warmen Strahl seines Herzens aufgetaut! Kaum hatte Herr von Beyme, einst preußischer Minister, Goethes Anklage gelesen, als er bekannt machte: um den Vorwurf, den Goethe den Fürsten Deutschlands macht, daß Schiller keinen Beschützer unter ihnen gefunden, wenigstens von seinem Herrn abzuwenden, wage er, die *amtlich nur ihm bekannte Tatsache* zur allgemeinen Kenntnis zu bringen, daß der König von Preußen Schillern, als dieser den Wunsch geäußert, sich in Berlin niederzulassen, aus freier Bewegung einen Gehalt von dreitausend Talern jährlich und noch andere Vorteile gesichert hatte. Warum hat Herr von Beyme diesen schönen Zug seines Herrn so lange verschwiegen? warum hat er gewartet, bis eingetroffen, was kein Gott vorhersehen konnte, daß Goethe einmal menschlich fühlte? Daß der König von Preußen strenge *Gerechtigkeit* übt, das weiß und preist das deutsche Vaterland; aber seinen Dienern ziemte es, auch dessen *schöne* Handlungen, die ein edles Herz gern verbirgt, bekannt zu machen, damit ihnen die Huldigung werde, die ihnen gebührt, und damit sie die Nachahmung erwecken, die unsern engherzigen Regierungen so große Not tut.

In den europäischen Staaten, die unverjüngt geblieben, fürchten die Herrscher jede Geisteskraft, die ungebunden und frei nur sich selbst lebt, und suchen sie durch verstellte Geringschätzung in wirklicher Geringschätzung zu erhalten. Wo sie dieses nicht vermögen, wo ein Talent sich durchgeschlagen und sich Hochachtung erbeutet, da schmieden sie es an die Schulbank, um es festzuhalten, oder spannen es vor die Regierung, um es zu zügeln. Ist die Regierung voll und kann keiner mehr darin untergebracht werden, zieht man den Schriftstellern wenigstens die Staatslivree an und gibt ihnen Titel und Orden; oder man sperrt sie in den Adelshof, nur um sie von der Volksstadt zu trennen. Daher gibt es nirgends mehr Hofräte als in Deutschland, wo sich die Höfe am wenigsten raten lassen. In Östreich, wo die Juden seit jeher einen großen Teil der bürgerlichen und alle staatsbürgerlichen Rechte entbehren; in diesem Lande, wo man an Gottes Wort nicht deutelt und alles läßt, wie es zur Zeit der Schöpfung gewesen, adelt man doch die niedergehaltenen Juden und macht sie zu Freiherrn, sobald sie einen gewissen Reichtum erlangt. So sehr ist dort die Regierung besorgt und bemüht, dem Bürgerstande jede Kraft, selbst den Reichtum und seinen Einfluß zu entziehen! Es ist zum Lachen, wenn man liest, welchen Weg der Ehre Schiller gegangen. Als er in Darmstadt dem Großherzog von Weimar seine *Räuber* vorgelesen, ernannte ihn dieser zum *Rat*, der damalige Landgraf von Darmstadt ernannte ihn auch zum Rat; Schiller war also zweimal Rat. Der Herzog von Meiningen ernannte ihn zum *Hofrat*, der deutsche Kaiser adelte den Dichter des Wilhelm Tell. Dann ward er *Professor* in Jena, er bekam Brot, er mußte aber arbeiten, und nur wenige Jahre lebte er frei und seiner Würde angemessen in Weimar von der Gunst seines Fürsten. Kein Zweiter übernahm die irdischen Sorgen dieses ätherischen Geistes, Gold hat ihm keiner gegeben. Doch ja – ein Erbprinz und ein Graf haben ihre beiden Herzbeutel zusammengeschossen und haben in *Kompagnie* dem Dichter auf *drei Jahre* einen Gehalt von dreitausend Talern gegeben. Wen Gott empfiehlt, der ist bei unsern regierenden Herren schlecht empfohlen. Und wäre es denn Großmut, wenn deutsche Fürsten das Genie würdiger unterstützen, da sie doch die alleinigen und unbeschränkten Verwalter des Nationalvermögens sind?

Goethe hätte ein Herkules sein können, sein Vaterland von großem Unrate zu befreien; aber er holte sich bloß die goldenen Äpfel der Hesperiden, die er für sich behielt, und dann setzte er sich zu den Füßen der Omphale und blieb da sitzen. Wie ganz anders lebten und wirkten die großen Dichter und Redner Italiens, Frankreichs und Englands! *Dante*, Krieger, Staatsmann, ja Diplomat, von mächtigen Fürsten geliebt und gehaßt, beschützt und verfolgt, blieb unbekümmert um Liebe und Haß, um Gunst und Tücke, und sang und kämpfte für das Recht. Er fand die alte Hölle zu abgenutzt und schuf eine neue, den Übermut der Großen zu bändigen und den Trug gleißnerischer Priester zu bestrafen. *Alfieri* war reich, ein Edelmann, adelstolz, und doch keuchte er wie ein Lastträger den Parnaß hinauf, um von seinem Gipfel herab die Freiheit zu predigen. *Montesquieu* war ein Staatsdiener, und er schrieb seine persischen Briefe, worin er den Hof verspottete, und seinen Geist der Gesetze, worin er die Gebrechen Frankreichs richtete. *Voltaire* war ein Höfling; aber nur schöne Worte verehrte er den Großen und opferte ihnen nie seine Gesinnung auf. Er trug eine wohlbestellte Perücke, feine Manschetten, seidene Röcke und Strümpfe; aber er ging durch den Kot, sobald ein Verfolger um Hülfe schrie, und holte mit seinen adeligen Händen schuldlos Gerichtete vom Galgen herab. *Rousseau* war ein kranker Bettler und hülfsbedürftig; aber nicht die zarte Pflege, nicht die Freundschaft, selbst der Vornehmen, verführte ihn, er blieb frei und stolz und starb als Bettler. *Milton* vergaß über seine Verse die Not seiner Mitbürger nicht und wirkte für Freiheit und Recht. So waren *Swift, Byron,* so ist *Thomas Moore.* Wie war, wie ist *Goethe*? Bürger einer freien Stadt, erinnert er sich nur, daß er Enkel eines Schultheißen ist, der bei der Kaiserkrönung Kammerdienste durfte tun. Ein Kind ehrbarer Eltern, entzückte es ihn, als ihn einst als Knabe ein Gassenbube Bastard schalt, und er schwärmte mit der Phantasie des künftigen Dichters, wessen Prinzen Sohn er wohl möchte sein. So war er, so ist er geblieben. Nie hat er ein armes Wörtchen für sein Volk gesprochen, er, der früher auf der Höhe seines Ruhms unantastbar, später im hohen Alter unverletzlich, hätte sagen dürfen, was kein anderer wagen durfte. Noch vor wenigen Jahren bat er die »hohen und höchsten Regierungen« des deutschen Bundes um Schutz seiner Schriften gegen den Nachdruck. Zugleich um gleichen Schutz für alle deutschen Schriftsteller zu bitten, das fiel ihm nicht ein. Ich hätte mir lieber wie einem Schulbübchen mit dem Lineal auf die Finger klopfen lassen, ehe ich sie dazu gebraucht, um mein *Recht* zu betteln, und um *mein* Recht allein!

Goethe war glücklich auf dieser Erde, und er erkennt sich selbst dafür. Er wird hundert Jahre erreichen; aber auch ein Jahrhundert geht vorüber, und ewig sitzt die Nachwelt. Sie, die furchtlose, unbestechliche Richterin, wird Goethe fragen: Dir ward ein hoher Geist, hast du je die Niedrigkeit beschämt? Der Himmel gab dir eine Feuerzunge, hast du je das Recht verteidigt? Du hattest ein gutes Schwert, aber du warst nur immer dein eigner Wächter! Glücklich hast du gelebt, aber du *hast* gelebt.

Soden, den 27. Mai

Wo Weiber einkehren, da folgt auch bald Vokalmusik. Schon frühe morgens hörte ich zwei angenehme weibliche Stimmen *Conrad, Conrad* durch das Haus tönen. Die eine Stimme betonte die letzte Silbe und rief Con*rad*, die andere die erste und rief *Con*rad. Wie ungeduldig! Wenn das die Stimme der Witwe ist, wird sie mir viel zu schaffen machen. Ich bin aber auch für mein Alter

noch ziemlich dumm. Ein erfahrner Mann würde eine Witwen-
stimme von hundert andern Stimmen unterscheiden; denn sie hat
gewiß etwas Eigentümliches.

– Nein, Madame Molly ist nicht die Heftige. Ich begegnete ihr
im Gange. Eine edle schlanke Gestalt mit etwas blassem Gesichte. Das ist eine schöne Blässe! Das schüchterne Blut meidet die
freien Wangen; aber im häuslichen Herzen, da zeigt es sich freu-
denrot und liebeswarm.

Sie hat eine Art sich zu verneigen, die mir ungemein gut gefällt.
Es ist, als wenn ein Lüftchen sich beugte, es ist, als wenn uns eine
Blume begrüßte.

– Während die Frauenzimmer ausgegangen waren, trat ich in
das offenstehende Zimmer, worin das Mädchen säuberte. Dreizehn ausgeleerte Wasserflaschen standen umher. Ich stellte sie in
Reihe und Glied vier Flaschen hoch, und die dreizehnte als Lieu-
tenantin voraus. Kämen sie nur zurück und sähen die Parade!

Sie haben auch Bücher. Die Stunden der Andacht. Was schadet's? Der Tag hat vierundzwanzig Stunden und Zeit für alles.
Heines Reisebilder. Ossian. Volneys Ruinen, aus der Leihbibliothek. Ist das Ernst oder glaubten sie, es sei eine Räubergeschich-
te? Abraham a Sancta Clara. Das wunderte mich etwas von Frau-
enzimmern, die dreizehn Flaschen Wasser verbrauchen: jeder
Humor hat doch etwas Unreinliches. Laßt die Toten ruhen, von
Raupach. Uhlands Gedichte. Der liebe Uhland! Er begleitet mich
auf allen meinen Wegen. Ja, so laß ich mir es gefallen! Das ist
auch alte Zeit; aber sie ist kindlich, nicht kindisch; sie ist heiter,
keift nicht mit der Jugend, sondern spielt mit ihr. Das ist auch
süße Minne; aber süß wie Zucker, nicht wie Sirup. Das sind auch
treue Bürger; aber demütig sind sie nicht. Das sind auch mutige
Ritter; aber hochmütig sind sie nicht. Das ist auch Königsglanz;
aber er blinkt nicht wie kalte Sterne, er strahlt wie die Sonne
herab und erwärmt die niedrigste Hütte. Golden und warm ist
Uhland, wie die Krone in der Schäferin Hand.

– Habe Goethes westöstlichen Divan geendigt. Ich mußte ihn
mit *Verstand* lesen; mit *Herz* habe ich es früher einmal versucht,
aber es gelang mir nicht. So mit keiner Schrift des Dichters, den
Ante-Aulischen Werther ausgenommen, den er geschrieben, sich
mit der zudringlichen Jugend ein für alle Male abzufinden.

Welch ein beispielloses Glück mußte sich zu dem seltenen Talente dieses Mannes gesellen, daß er sechzig Jahre lang die Hand-

schrift des Genies nachmachen konnte und unentdeckt geblieben!

Nein, das sind keine Weingesänge, das sind keine Liebeslieder! Das sind keine losen, das sind feste Gedichte. Wohl anmutig säuselt die Luft durch die Zweige und Blätter und schüttelt sie freundlich; aber den starren Stamm bewegt sie nicht. Was wurzelt, ist halb der Nacht, halb dem Lichte und hat nur halbes Leben. Warum, ein freier Mann, orientalisch dichten? Gefangene sind jene, die durch das Gitter ihres dumpfen Kerkers hinaussingen in die kühle Luft. Das Lied ist leicht, das Herz ist schwer. Selbst Salomon seufzte bei Wein und Kuß, und er war Herr; wie mochten erst seine Sklaven lieben und trinken!

Von den Orientalen stammen alle Religionen. Gottes Schrekken und Milde, Zorn und Liebe war in ihren despotischen Herrschern ihnen näher geführt als den freien Abendländern. Ihre Poesie ist kindlich, weil aufgewachsen unter dem Schutze und den Augen ihres Vaters; aber auch kindisch aus Furcht.

Das zahme Dienen trotzigen Herrschern hat sich Goethe unter allen Kostbarkeiten des orientalischen Bazars am begierigsten angeeignet. Alles andere *fand* er, dieses *suchte* er; Goethe ist der gereimte Knecht, wie Hegel der ungereimte.

Goethes Stil ist zart und reinlich: darum gefällt er. Er ist vornehm: darum wird er geachtet – von andern. Ich aber untersuchte, ob die so glatte Haut Kraft und Gesundheit bedecke, und ich fand es nicht; fand keine Ader, die von der lilienweißen Hand den Weg zum Herzen zeige. Goethe hat etwas Würdiges, aber diese Würde kömmt nicht von seiner Herrlichkeit, sondern von glücklicher Anmaßung, von Etikette. Wie ein König hat er schlau und wohlbedacht alles berechnet und angeordnet, statt *Ehrfurcht*, dieses ursprüngliche Gefühl, welches die gottentsprungene Macht erweckte, *Ehre* und *Furcht* zu erzwingen. Genug für die, welchen solche Huldigung genug ist; aber nicht genug für uns, die wir nur mit dem Herzen dienen. Blinzeln wir auch, wenn es uns um die Augen flittert, lassen wir uns doch nicht verblenden; stutzen wir auch, wenn machtgewohnte Mienen und Worte uns entgegenkommen, kehren wir doch bald zurück und fragen: wo ist das Recht?

Goethe spricht langsam, leise, ruhig und kalt. Die dumme scheinbeherrschte Menge preist das hoch. Der Langsame ist ihr bedächtig, der Leise bescheiden, der Ruhige gerecht und der

Kalte vernünftig. Aber es ist alles anders. Der Mutige ist laut, der Gerechte eifrig, der Mitleidige bewegt, der Entschiedene schnell. Wer auf dem schwanken Seile der Lüge tanzt, braucht die Balancierstange der Überlegung; doch wer auf dem festen Boden der Wahrheit wandelt, mißt nicht ängstlich seine Schritte ab und schweift mit seinen Gedanken nach Lust umher. Seht euch vor mit allen, die so ruhig und sicher sprechen! Sie sind ruhig aus Unruhe, scheinen sicher, weil sie sich unsicher fühlen. Glaubet dem Zweifelnden und zweifelt, wenn man Glauben gebietet. Goethes Lehrstil beleidigt jeden freien Mann. Unter allem, was er spricht, steht: *tel est notre plaisir*; Goethe ist anmaßend oder ein Pedant, vielleicht beides.

Goethes Gedanken sind alle ummauert und befestigt. Er selbst will, sein Leser kann nicht mehr hinaus, sobald er in sie eingedrungen. Das Tor schließt sich hinter ihm, er ist gefangen. Goethe, weil er beschränkt ist, beschränkt. Das Umflattern der Phantasie, der eigenen wie der fremden, belästigt ihn; er stutzt sie, und der flügellahme Leser preist einen Dichter hoch, zu dem er sich nicht zu erheben braucht, weil er so gütig ist, auf gleichem Boden mit ihm zu stehen.

Goethe verbietet, ja selbst dem Eigenwilligsten verhindert er das Selbstdenken. Und sage man nicht: es geschieht, weil er den Gegenstand bis auf den Grund ausschöpft, weil er der Wahrheit höchste Spitze erreicht. Der menschenliebende, gottverwandte Dichter entführt uns der Schwerkraft der Erde, trägt uns auf seine feurigen Flügel hinauf bis in den Kreis des Himmels, dann senkt er sich, auch seine andern Kinder zu heben; uns aber zieht die Sonne an. Sinken wir mit dem Dichter zurück, so ist es, weil er den irdischen Dunstkreis nicht verließ. Der wahre Dichter schafft seinen Leser zum Gedichte, das ihn selbst überflügelt. Wer nicht dieses vermag, dem ist nichts gelungen. Ein Gesell zieht er Gesellen an; aber er ist kein Meister und bildet keinen.

Don Carlos
Trauerspiel von Schiller
(1818)

Es könnte den Mut geben, die Fehler eines der Meisterstücke deutscher Dichtkunst offen zu besprechen, wenn man wahrnimmt, welcher Anstrengung Schiller selbst, in seinen Briefen über *Don Carlos*, bedurfte, um nur einem Teile der diesem Werke gemachten Rügen sich entgegenzusetzen, und wie unentschieden sein Sieg gewesen sei. Doch an diesem bejahrten Denkmale der Kunst, seit lange allen sichtbar und zugänglich, hat das Urteil sich wohl schon längst erschöpft, und nur erneuerte, keine neue Bemerkungen lassen sich erwarten. Darum mag nur so viel berührt werden, als nötig ist, um vor der Ungerechtigkeit zu schützen, daß wir die Schwächen der Dichtung der Darstellung anrechnen.

Auch das herrlichste Gemälde, vor unsere Augen hingestellt, würde von seinem Eindrucke verlieren, hätten wir den Pinselstrichen beigewohnt, aus welchen es sich nach und nach zusammengestaltet hat. Die Werke göttlicher Schöpfungskraft entspringen leicht und froh aus dem *Gedanken*, und wo ein Kunstwerk die himmlische Natur, die es beseelt, uns zuspiegeln soll, da muß der irdische Fleiß, der es zustande gebracht, unsichtbar bleiben. Der Landmann verkauft gleichgültig die Frucht, die er hat wachsen sehen, aber wir finden sie süß, weil uns der lange Weg von der Wurzel bis zur Krone des Baumes nicht ermüdet hat.

Wie die Pinselstriche zum vollendeten Gemälde, wie die Wurzel zur Frucht, so steht die Gesinnung des Menschen zu seiner Tat. Die Überlegung ist Wurzel, die Empfindung ist Blüte, die Handlung ist Frucht des menschlichen Geistes. Nur letztere soll in der Tragödie zum Vorschein kommen, geschmückt wohl mit den Blumenkränzen der Gefühle, aber der dunkle Keim, aus dem beide entsprossen, muß bedeckt bleiben. Die Lust des Schauspiels soll ein Erntefest sein, keine ermüdende Saatbeschäftigung. Erfüllt *Don Carlos* diese Forderung? Nein, er hält uns nur dafür schadlos. Nichts geschieht, wenig wird empfunden, am meisten wird gedacht. Es ist ein schönes vergoldetes Lehrbuch über Seelenkunde und Staatskunst, vom Schulstaube gereinigt, uns in die Hände gegeben.

In diesem Menschengemälde ist kein vorherrschendes Bild. Drei Gruppen sind in gleich starkem Lichte in den Vordergrund gestellt: Philipp mit seinen Trabanten, die Königin und Carlos, Posa mit seinen Traumgestalten. Es ist ein Dreispiel, welches die Einheit der Teilnahme zerreißt; der Infant bewirbt sich um diese Teilnahme, der Marquis erhält sie, und nur der König hätte sie verdient; denn er ist der einzige, welcher weiß, was er will, und tut, was er will, und dessen schnell reifende Entschlüsse uns im-

mer wach, von dem Schneckengange der Vorsätze nicht einge-
schläfert finden.

Die Schauspieler sind es nicht, welche die Schuld der Ermüdung
zu tragen haben, die ein vierstündiger Unterricht in Dingen der
Weltweisheit, auf deutsche Art vorgetragen, den Lehrjahren
entwachsenen Zuhörern verursachen muß. Welcher Schalk hat
noch überdies diesen gegenwärtigen *Don Carlos* für unsere
Bühne eingerichtet? An die Stelle des Domingo ist ein Staatssekretär *Perez* gesetzt. Wie ein Meteorstein ist er aus den Wolken
gefallen, man weiß nicht, wie er entstand, woher seine Macht, sein
Einfluß, das Vertrauen, das ihm der König gibt? Übrigens sind
ihm viele Reden des Beichtvaters ganz ohne Sinn in den Mund gelegt. So sagt ihm der König nach der fürchterlichen Entdeckung,
die seinem Argwohne zugetragen ward:

> ———— Redet offen
> Mit mir. Was soll ich glauben, was beschließen?
> Von *Eurem Amte* fordr' ich Wahrheit.

Wahrhaftig, der ärmste Schlucker von einem Kopisten würde in
Spanien nicht Staatssekretär sein wollen, wenn es sein Amt erfor-
derte, täglich mit Gefahr seines Kopfes einem Despoten die Wahrheit zu sagen. Wozu geschah die Umänderung eines Beichtvaters in
einen Staatssekretär? Hat man aus Schonung die düstere, schlei-
chende, tückische Pfaffheit als gehässiges Bild nicht wollen erscheinen lassen? So war sie in Spanien nicht gewesen. Dort trat die
geistliche Macht kühn und offen hervor und handelte mit klarer
Willenskraft. Domingo ist nicht bloß der geschäftige Wind, das flie-
gende Insekt, welches den Blütenstaub von den männlichen zu den
weiblichen Blumen trägt und so die Handlung befruchtet; sondern
der kluge Diener der Inquisition, welcher die Seele der ganzen
Staatslist war und sich auch dafür bekannte. Der Großinquisitor
am Schlusse weiß allein das Rätsel zu lösen, und außer ihm keiner.
Es wäre zu unserer Zeit sehr wohlgetan, die Dichtung in ihrer alten
Form wieder auf die Bühne zu bringen, damit, was man am Morgen
vor den Geschäften des Tages gedankenlos in der Zeitung liest: daß
in Madrid die Inquisition sich wieder ausbreite, wirksamer am
Abend im Schauspielhause als Schreckbild in die Seele dränge und
sie mit Abscheu erfüllte. ——

Das Lob, das man dem Tacitus erteilt: er sei am tiefsten in die
Seele eines Tyrannen eingedrungen, kann man Herrn *** in

der Rolle des Philipp nicht versagen. Ihr erkennt ergrimmt einen jener Könige, die an der Vorsehung zweifeln machen, und ihr fragt den Himmel, warum ein Mensch, der nicht verdiente, die Sonne aufgehen zu sehen, sagen durfte, daß sie in seinem Reiche nicht untergehe? Herr *** hatte sein ganzes Spiel mit gleicher Mächtigkeit durchgeführt. *Der böse Geist der schlaflosen Nächte*, an welchen ein Tyrann leidet und leiden macht, war er malerisch getreu. Eines war mir in dessen meisterhafter Darstellung aufgefallen; nämlich daß er sich einen Fußschemel unterstellen ließ, sooft er sich setzte. Den majestätischen Philipp mußte dieses häusliche Bequemtun sehr entstellen, zumal wie es Herr *** zur Schau brachte, indem er gewöhnlich nur den einen Fuß auf den Schemel stellte und den andern leicht hinabwiegen ließ. Darf ein Erdengott zeigen, daß er müde werden kann? –

Herr *** spielte den Alba lobenswert. Dieser Held ist kein Mordbrenner, wie er dem jugendlich-schwärmerischen Carlos und dem innern Auge menschenfreundlicher Geschichtsforscher erscheint, sondern ein großer, ruhiger, besonnener Mann, der aus Ehrgeiz, hätte es die Zeit und seine Pflicht erfordert, auch weich und tugendhaft gewesen wäre. So muß er gespielt werden.

Über den Charakter des Wilhelm Tell
in Schillers Drama
(1828)

Aus Schillers liebevollem, weltumflutenden Herzen entsprang Tells beschränktes, häusliches Gemüt und seine kleine enge Tat; die Fehler des Gedichtes sind die Tugenden des Dichters. Wäre es mir auch immer gleichgültig, nur dieses Mal möchte ich nicht mißdeutet sein – ich vermisse, doch ich beklage nicht. Der reiche Schatz der Kunst kann *eine* Kostbarkeit entbehren, das Seltenste ist ein edler Geist. Dem liebenswürdigen Schiller stehen seine Mängel besser als besseren Dichtern ihre Vorzüge an. Ihm zittert das Herz, ihm zittert die Hand, welche formen soll, und formlos schwanken die Gestalten. Der Frost bildet glänzende Kristalle, bildet schöne Blumen an den Fensterscheiben, der Frühling schmilzt sie weg; das Glas wird leer, doch durchsichtig und zeigt den warmen blauen Himmel; das Auge staunt nicht mehr an, aber es weint.

Es tut mir leid um den guten Tell, aber er ist ein großer Philister. Er wiegt all sein Tun und Reden nach Drachmen ab, als stünde Tod und Leben auf mehr oder weniger. Dieses abgemessene Betragen im Angesichte grenzenlosen Elends und unermeßlicher Berge ist etwas abgeschmackt. Man muß lächeln über die wunderliche Laune des Schicksals, das einen so geringen Mann bei einer fürstlichen Tat Gevatter stehen und durch dessen linkisches Benehmen die ernste Feier lächerlich werden ließ. Tell hat mehr von einem Kleinbürger als von einem schlichten Landmann. Ohne aus seinem Verhältnisse zu treten, sieht er aus seinem Dachfenster über dasselbe hinaus; das macht ihn klug, das macht ihn ängstlich. Als braver Mann hat er sich zwar den Kreis seiner Pflichten nicht zu eng gezogen; doch tut er nur seine Schuldigkeit, nicht mehr und nicht weniger. Er hat eine Art Lebensphilosophie und ist mit Überlegung, was seine Landesleute und Standesgenossen aus bewußtlosem Naturtriebe sind. Er ist ein guter Bürger, ein guter Vater, ein guter Gatte. Es ist sehr komisch, daß er seinen gesunden Bergesknaben, starken Kindern einer rauhen Zeit, eine Art Erziehung gibt, wie sie Salzmann in Schnepfenthal den seidnen Püppchen des 18. Jahrhunderts gab. Er härtet sie ab, sie sollen ausgerüstet werden gegen das Ungemach des Lebens, ja er bemüht sich sogar, ihren Verstand aufzuklären und die abergläubische Wirkung der Ammenmärchen zu zerstören. Tell hat den Mut des Temperaments, den das Bewußtsein körperlicher Kraft gibt; doch nicht den schönen Mut des Herzens, der, selbst unermeßlich, die Gefahr gar nicht berechnet. Er ist mutig mit dem Arm und furchtsam mit der Zunge, er hat eine schnelle Hand und einen langsamen Kopf, und so bringt ihn endlich seine gutmütige Bedenklichkeit dahin, sich hinter den Busch zu stellen und einen schnöden Meuchelmord zu begehen, statt mit edlem Trotze eine schöne Tat zu tun.

Tells Charakter ist die Untertänigkeit. Der Platz, den ihm die Natur, die bürgerliche Gesellschaft und der Zufall angewiesen, den füllt er aus und weiß ihn zu behaupten; das Ganze überblickt er nicht, und er bekümmert sich nicht darum. Wie ein schlechter Arzt sieht er in den Übeln des Landes und seinen eigenen nur die Symptome, und nur diese sucht er zu heilen. Geschickt und bereit, den einzelnen Bedrängten und sich selbst zu helfen in der Not, ist er unfähig und unlustig, für das Allgemeine zu wirken. Als der flüchtige Baumgarten seine Landsleute um Beistand anfleht, denken diese mehr an die Verfolgung als an den Verfolgten, lassen sich erzählen, klagen um das Land und zaudern mit der Hülfe. Tell erscheint, sieht nicht auf die Verfolgung, sondern nur auf den Verfolgten und rettet ihn. Ein solcher Mann kann in einem Schiffbruche als guter Schwimmer vielen Verunglückten Hülfe leisten; doch unfähig, das Steuer zu führen, wird er den Schiffbruch nicht verhüten können. Wenn er nun in einem Sturme den Geängstigten zuruft: fürchtet euch nicht, ich kann schwimmen, ich ziehe euch aus dem Wasser – wird er, wie überall, wo der Charakter mit den Verhältnissen in Widerspruch steht, komisch erscheinen und eine Wirkung hervorbringen, die der ernsten Würde der Tragödie schädlich ist.

  Auf dem Rütli, wo die Besten des Landes zusammenkommen, fehlte Tells Schwur; er hatte nicht den Mut, sich zu verschwören. Wenn er sagt:

> Der Starke ist am mächtigsten *allein* –

so ist das nur die Philosophie der Schwäche. Wer freilich nur so viel Kraft hat, grade mit sich selbst fertig zu werden, der ist am stärksten *allein*; wem aber nach der Selbstbeherrschung noch ein Überschuß davon bleibt, der wird auch andere beherrschen und mächtiger werden durch die Verbindung. Tell versagt dem Hute auf der Stange seinen Gruß; doch man ärgert sich darüber. Es ist nicht der edle Trotz der Freiheit, dem schnöden Trotze der Gewalt entgegengesetzt: es ist nur Philisterstolz, der nicht Stich hält. Tell hat Ehre im Leibe, er hat aber auch Furcht im Leibe. Um die Ehre mit der Furcht zu vereinigen, geht er mit niedergeschlagenen Augen an der Stange vorüber, damit er sagen könne, er habe den Hut nicht gesehen, das Gebot nicht übertreten. Als ihn Geßler wegen seines Ungehorsams zur Rede stellt, ist er demütig, so demütig, daß man sich seiner schämt. Er sagt, aus Unachtsamkeit habe er es unterlassen, es solle nicht mehr geschehen – und wahrlich, hier ist Tell der Mann, Wort zu halten.

  Der Apfelschuß war mir immer ein Rätsel, ja mehr – ein Wunder. Er soll geschehen sein, man glaubt daran, gleichviel. Die Natur ist oft unnatürlich, sie schafft Mißgestalten, und die Geschichte ist oft undramatisch; aber man muß das liegen lassen. Ein Vater kann alles wagen um das Leben seines Kindes, doch nicht dieses Leben selbst. Tell hätte nicht schießen dürfen, und wäre darüber aus der ganzen schweizerischen Freiheit nichts geworden. Man frage nur die Zeugen der Tat, man höre, was sie sagen, beobachte die Schweigenden – sie alle haben sie verdammt. Ja die gelungene Tat ist noch ganz so häßlich, als es die gewagte war; das Entsetzen bleibt, und die Furcht, der Vater hätte sein Kind treffen können, ist größer, als die frühere war, er könnte es treffen. War Geßlers Gebot so ungeheuer, daß es einen Vater ganz aus der Natur werfen konnte und er nicht mehr bedachte, was er tat: so hätte auch Tell, ohne Bedacht, dem Befehle nicht gehorchen oder den Tyrannen erlegen sollen. Aber er war doch besonnen genug, wie ein Weib zu bitten, und sein *lieber Herr, lieber Herr* zu sagen, wofür der bange Mann Ohrfeigen verdient hätte. Daß er dem Landvogt tollkühn eingestand, was er mit dem zweiten Pfeile im Sinne geführt, das war auch wieder Philisterei; die ehrliche Haut kann nicht lügen. Dieses ängstliche Wesen, diese Unbeholfenheit des guten Tell entsprang aber nicht aus Scheu des Untertanen vor seinem Herrn – dieses Gefühl, wie er später gezeigt, konnte er überwinden – nein, es war die Scheu des Bürgers dem Edelmanne gegenüber. Ganz anders betrug sich der Ritter Rudenz. Das ist es aber eben, und das hätte der Dichter bedenken sollen. Man muß das Bürgervolk nur immer in Masse kämpfen lassen; man darf keinen Helden aus seiner *Mitte* an seine *Spitze* stellen. Der schönste Kampf kommt in Gefahr, dadurch lächerlich zu werden.

Es ist traurig – ja schlimmer: es ist verdrüßlich, daß Tell in die Lage kommt, um der guten Sache willen schlechte Streiche machen zu müssen. Verrat kann wohl notwendig werden, aber sittlich wird er nie, auch nicht, wenn er an Feinden begangen. Und ist es nicht Verrat, ist es nicht ein schlechter Streich, wenn Tell, als der Landvogt sich auf dem See seiner Hülfe anvertraut – der Feind dem Feinde – dem Schiffe entspringt, es in die Wellen zurückstößt und wieder dem Sturme preisgibt? Tell zeigt sich hier auch wieder als Pedant, als Schulmoralist und buchstäblicher Worthalter. Er glaubt nicht, den Landvogt getäuscht zu haben; er versprach, ihn aus der gegenwärtigen, zehn Schuhe breiten Gefahr zu retten, und dies hat er getan. Dem Schiffer, dem Tell nach seiner Befreiung das Ereignis erzählte, sagt er:

> Ich aber sprach: Ja, Herr, mit Gottes Hülfe
> Getrau' ich mir's und helf' uns wohl hindannen.
> So ward ich meiner Bande los und stand
> Am Steuerruder und *fuhr redlich hin*; –

Das nennt er redlich hinfahren! Wie ist nur der schlichte Mann zu dieser feinen jesuitischen Sinnesdeutung geraten?... Jetzt kommt Geßlers Mord. Ich begreife nicht, wie man diese Tat je sittlich, je schön finden konnte. Tell versteckt sich und tötet ohne Gefahr seinen Feind, der sich ohne Gefahr glaubte. Die Natur mag diese Tat rechtfertigen, so gut es ihr möglich ist, aber die Kunst vermag es nie. Als Tell später mit Johann von Schwaben zusammentrifft und dieser mit dem Mordgesellen Brüderschaft machen will, stößt ihn jener mit Abscheu zurück und spricht:

Unglücklicher!
Darfst du der Ehrsucht blut'ge Schuld vermengen
Mit der gerechten Notwehr eines Vaters?

Doch Tell irrt. Aus Ehrsucht hat er freilich den Landvogt nicht getötet, doch mit Notwehr – sollte diese ja, gegen eine rechtliche Obrigkeit, je rechtlich stattfinden können – kann er sich nicht entschuldigen. Damals, wenn er, um den Schuß von seinem Kinde abzuwenden, den Bogen nach Geßlers Brust gerichtet hätte, wäre es Notwehr gewesen, später war es nur Rache, wohl auch Feigheit – er hatte nicht den Mut, eine Gefahr, die er schon mit Zittern kennen gelernt, zum zweiten Male abzuwarten.

Sollte ich aber jetzt auf die Frage Antwort geben: wie es denn Schiller anders und besser hätte machen können, – wäre ich in großer Verlegenheit. Der dramatische Dichter, der einen geschichtlichen Stoff behandelt, kann eine *wahre* Geschichte nach seinem Gebrauche ummodeln; denn es schadet der Geschichte nicht, man kennt sie, und sie bleibt doch geschehen, wie sie geschah. Eine geistige *Überlieferung* aber darf er niemals ändern. Diese besteht nur durch den Glauben und wird zerstört, wenn der Glaube umgeworfen oder anders gerichtet wird. Eine solche Überlieferung ist das Ereignis mit Tell. Aus diesem Zwange aber entsprangen Verhältnisse, mit welchen die Kunst nicht fertig werden konnte. Schiller führte uns mit Bedacht und Geschicklichkeit die Leiden der Schweizer vor Augen; wir sehen, was Baumgarten, Melchthal, Berta und die übrigen dulden und fürchten. Diese Leiden fließen endlich in ein Meer der Not zusammen, das alles bedeckt; diese Klagen bilden endlich eine Vereinigung, die das Land rettet. Tell aber ragt im Tun und Leiden zu monarchisch vor, gehört nicht zu dem topographischen Schicksale der Schweiz und ist übrigens der Mann nicht, eine monarchische

Rolle zu spielen. Er ist zu ängstlich, bedenkt zuviel und duckt sich gern. Den Mann mit breiten Schultern füllt nicht ganz seine Seele aus. Warum ihn aber Schiller so behandelt, ist schwer zu erklären. Er hätte ihn können alles tun, alles ertragen lassen, was er getan und ertragen, und ihn dabei trotziger, hochsinniger, gebietender machen können.

Wilhelm Tell bleibt aber doch eines der besten Schauspiele, das die Deutschen haben. Es ist mit Kunstwerken wie mit Menschen: sie können bei den größten Fehlern liebenswürdig sein. Was heißt aber ein liebenswürdiges Schauspiel? Ein liebenswürdiges Schauspiel ist ein Schauspiel, das liebenswürdig ist; die Kritik weiß hierüber nicht mehr als jedes andere Frauenzimmer.

IV.

Das Käthchen von Heilbronn
Von Heinrich v. Kleist
(1818)

Fürwahr, es ist Mark darin und Geist und Schönheit. Von der dunkeln Tiefe des Gemüts bis hinauf zu jener heitern Höhe, auf welcher die Schöpfungskraft frei und besonnen waltet, führt uns ein lockender Weg, mit abwechselndem Reize, bald zwischen lieblichen Winden, blumigen Auen und besonnten Feldern, bald zwischen stürzenden Wetterbächen, erhabenen Wildnissen und Wäldern voll Sturm und Brausen. Gleich anmutig ist Wanderung und Ziel. Warum haben die tückischen Parzen dieses blühende Dichterhaupt so frühe in das Grab gebeugt?

Welch ein Untenehmen, so kühn als unbesonnen, den Schleier der Isis wegzuheben, hinter welchem der Tod lauscht! Nur Priestern frommt ein solcher Anblick, nicht der Menge, welcher mit der letzten Täuschung auch das letzte Glück entschwindet. *Das* wäre die so gepriesene Liebe, von Kindern angelallt, von Greisen angestottert, und das wäre ihr Band? Hätten wir's nie erfahren!

Graf *Wetter von Strahl*, reich, im Lande angesehen, edelstolz, voll des Mutes und der Kraft seines jugendlichen Alters und jener alten Zeit, ein an Seele wie an Leib geharnischter Ritter – und *Käthchen*, Tochter eines Bürgers von Heilbronn, ein süßes wunderschönes Mädchen, werden, sie, die sich nie gesehen, von einer geheimnisvollen Macht einander im Traume angetraut. Dem todkrank darniederliegenden Grafen erscheint im Wahnsinne des Fiebers ein glänzender Cherub, führt ihn weit weg in die Kammer eines schönes Kindes und zeigt es ihm als die für ihn bestimmte Braut, sagend, es sei die Tochter des Kaisers. Dieselbe Nacht sieht Käthchen im gesunden Traume (das gesunde Weib *erhebt* sich zum kranken Manne wie das wache zum schlafenden) einen schimmernden Ritter eintreten, der sie als seine Braut begrüßt. So sich angelobt, bringt später ein Zufall den Grafen in Käthchens Vaterhaus. Diese, ihn erblickend, erkennt allsogleich die Traumgestalt. Da stürzt plötzlich ihres Körpers und ihrer Seele Bau und eigene Haltung zusammen, sie fliegt ihrem Pole zu und bleibt ohne Willen und Bewegung an ihm hangen. Vergebens wird sie vom Ritter weggerissen, von diesem selbst mit Füßen zurückgestoßen, wie ein Tier, wie eine Sache behandelt, sie ist immer wieder da und folget ihm auf allen seinen Zügen. Wohl lernt er das Bürgermädchen lieben, aber werter bleibt ihm sein Ritteradel. Endlich bis in den Grund des Herzens gerührt, forscht er Käthchens Inneres aus, da sie einst im magnetischen Schlummer sich befand, wo die Seele, zwischen der Nacht der Erde und dem Tage des Himmels in der dämmernden Mitte schwebend, mit *einem* Blicke beide umfaßt, und da ward ihm kund, was er im Geräusche eines tatenvollen Lebens nicht früher erhorchen konnte, daß *sie* die Verheißene sei, die ihm im Traume gezeigt worden. Später tritt auch der Kaiser auf, gibt sich als Käthchens natürlicher Vater zu erkennen und diese, nachdem er sie zur Fürstin erhoben, dem Grafen zum Weibe.

Dieses Schauspiel ist ein Edelstein, nicht unwert an der Krone des britischen Dichterkönigs zu glänzen. Man braucht nur den herrlichen Monolog des Grafen, womit der zweite Akt beginnt, gelesen zu haben, um das Lob gerecht zu finden. Um so deutlicher fallen zwei Flecken in das Auge. Die wirkliche Erscheinung des Cherubs beim Sinken des brennenden Schlosses Thurneck konnte nicht unzeitiger geschehen. Die Seele, die so tief geneigt war, sich dem Anwehen einer verborgenen Geisterwelt, die im Traume sich offenbarte, gläubig hinzugeben, wird durch das sinnliche Wunder, das sich im Wachen ergibt, enttäuscht und wendet sich, nüchtern gemacht, vom Unbegreiflichen kalt hinweg. Zweitens spielt das Fräulein Kunigunde, ohne Willen des Dichters, die Rolle der Närrin in diesem *ernsten* Schauspiele. Gibt es eine tollere Erfindung als dieses Fräulein, welches durch Schönheit und Liebreiz allen Rittern des Landes den Kopf verrückt und am Ende sich als eine garstige Hexe kundgibt, die mit falschen Zähnen, aufgelegter Schminke und einem schlankmachenden Blechhemde die Göttin Venus vorzulügen verstand?

Aber wie haben sie dieses Stück wieder zugerichtet, damit es in ihren Raum, ihre Zeit und ihre Umstände sich füge! Das ist ein ganz eignes Kapitel des Jammers. Wie wehe gar muß es dem Künstler selbst tun, der die schönsten Teile seines Gemäldes wegschneiden sieht, damit es nur in den engen Rahmen passe. Zuvörderst ist in der Femgerichtsszene vieles ganz unbedachtsam ausgelassen worden. Es ist wahr, daß einige Reden darin etwas lang sind, allein es durfte dennoch kein Wort fehlen, damit es klar und verständlich werde, wie durch einen arbeitsamen Trieb der Natur sich Faden an Faden gereiht, um das sympathetische Netz zu flechten, das zwei Herzen unzertrennlich machte. Zweitens hatte man unerklärt gelassen, auf welche Weise der Kaiser Käthchens Vater geworden sei. Das war wieder einmal aus jener entnervten Sittsamkeit geschehen, welche der Verführung heuchlerische, vermaledeite Kupplerin ist.

*Graf von Strahl, Herr***. Beim Himmel, die Rolle ist schwer, und ich möchte den Schauspieler sehen, der sie trägt, leicht aber doch so, daß die Kraft nicht die Last verschlinge und man wahrnehme, wieviel er zu tragen habe. Vor dem Femgerichte: alle die mannigfaltigen Reden mit ihren Chamäleonsfarben, – Erzählungston, – Nachahmung fremder Stimme, – unbändige Kraft an die Schranke des Gesetzes pochend, – Verstellung der Wahrheit und Wahrheit der Verstellung, – das Gefühl unter freiwilliges Joch gebeugt, – Trotz der Unschuld, – Spott, – dastehend mit recht fest zusammengeknäulter, nicht allseitig hinausflatternder Kraft; nicht sich brüstend, den Körper leicht tragend mit der Seele, wie das Schwert in einer starken Faust, – (es ist ein Unverstand vieler Schauspieler, daß sie wähnen, Helden müßten sich spreizen, gerade *sie* dürfen es am wenigsten; bei kräftigen Menschen lehnt sich der Körper leicht am Geiste an, aber bei Schwächlingen findet die matte Seele am stärkern Körper ihre Stütze; nur solche Gewaltsmenschen mögen sich spreizen, die keine andere Macht haben als die Meinung, die man hat von ihrer Macht, wie König Philipp in *Don Carlos*). – Der Dichter läßt den verliebten jungen Löwen Tränen vergießen; ich bitte, welcher Schauspieler (der unsrigen) versteht es, als Held zu weinen, ohne sich lächerlich zu machen? – Nun vor allen: die Beschwörungsszene, wo der Graf den Geist des schlummernden Käthchens aus dem Körper, seinem dunkeln Sarge, hervorruft und um das Geheimnis überirdischer Dinge befragt (das vorgeschriebene Auflegen der Arme um den Leib hätte strenger beobachtet werden müssen, hierin war die Macht des Zaubers). – – So seht, wieviel als Graf von Strahl zu tun war! – – – Käthchen: Demoiselle *Lindner*. Gewiß und wahrhaftig, das demütige, gottgefällige, wundersüße, heimgefallene Kind hätte wahrer, lieblicher und rührender nicht dargestellt werden können. Es war nur ihre Schuld, wenn man es vergaß, wie schwer die Schlafrednerin zu *spielen* sei. Das Insichhineinreden, wo der Mund zugleich Ohr und Lippe ist, der melodische Schmelz der Stimme in den Worten: »O Schelm.« – »Nein, nein, nein.« – »Bitte, bitte!« Man sah den himmlischen Wein der Liebe im goldenen Becher der Sinnlichkeit blinken. Wußte Dem. Lindner, was sie tat, dann zeigte sie sich als eine besonnene Künstlerin, handelte sie nach dunklen Trieben, auch gut, das Glück ist eine schöne Gabe. – – Herr *** spielte Käthchens Vater, den Waffenschmied Friedeborn. Er war aber nicht der derbe, begüterte Handwerksmann, der den Hammer von Eisen zu führen gewöhnt ist und wohl täglich seinen guten Humpen Wein trank; der keinen Teufel fürchtet und nur weich ist an der Stelle, wo er sein Goldkind liebt; er war – nichts oder was man will. – – Was ist das wieder für ein toller Einfall mit der Puppe gewesen, die man aufhockte und statt Kunigunden in die Köhlerhütte trug? Man hätte entweder die lebendige tragen, oder die ausgestopfte fortspielen lassen sollen; Einheit muß sein. –*

Die Serapions-Brüder
gesammelte Erzählungen und Märchen.
Herausgegeben von E. T. A. Hoffmann.
Erster und zweiter Band. Berlin, 1819
(1820)

Aus dem Meere der deutschen Leihbibliothek (nur das Salz und die Tiefe unterscheidet jenes von diesen) ragen die Schriften Hoffmanns als tröstende, liebliche Eilande hervor. Jauchzend springen wir ans Ufer, küssen den grünenden Boden, umarmen Baum und Strauch und sind beglückt, uns aus der Wassernot gerettet zu sehen. Aber wie die Gefahr des Lebens zurückgetreten, stellen sich seine Bedürfnisse ein: der Hunger und der Durst; doch da rieselt keine Quelle, und so schöne Früchte uns auch locken, sie sind uns fremd, wir wagen die giftdrohenden nicht zu berühren. Wir dringen tiefer ins Land, da kommen von allen Seiten mit gräßlichem Geheule die wilden Bewohner, mit Pfeilen und Wurfspießen bewaffnet, auf uns zu. Überreste verzehrter Menschenopfer erfüllen uns mit Schauer. Wir fliehen entsetzt an den Strand zurück und vertrauen uns der greulichen Wasserwüste von neuem an.

Unsere Furcht vor dem nassen Tode wird wohl verziehen, denn sie wird geteilt und unsere Freude an dem grünen Lande daher mitempfunden. Aber daß wir dieses so schnell verließen, daß wir vor den ungewöhnlichen Tönen der Wilden, die uns vielleicht freundschaftlich begrüßten, erbebten, daß wir die schönen Früchte nicht zu pflücken wagten, die vielleicht wohlschmeckend und nahrhaft waren, daß die Knochenreste, wahrscheinlich natürlich verstorbener Menschen, uns entsetzten – das bedarf einer Rechtfertigung. Sie ist schwer, verdrießlich. Denn, wie es unbequem ist, Menschen, die man nicht liebt, achten zu müssen, und schmerzlich, sie nicht lieben zu können, wenn man sie achtet – so ist es auch mit ihren Werken. Aber, wer ist Preisrichter über diese Werke? Das Herz oder der Kopf? Der Geist erkennt den Preis, das Herz überreicht ihn, oder – hält ihn auch zurück, wenn es mit dem Ausspruche nicht zufrieden ist.

Mag der richtende Verstand diese gesammelten Erzählungen für preiswürdig erklären, die Empfindung schweigt gewiß, wenn sie nicht gar murrt gegen den Ausspruch.

Aus verschiedenen Zeiten und Orten, wo die Erzählungen und Märchen zerstreut und einzeln erschienen, hat sie der Verfasser gesammelt und vereinigt. Daher wird es zum Gegenstande der Beurteilung, nicht bloß *wie*, sondern auch, *daß* sie zusammengestellt worden. Denn oft geschieht, daß wir von der flüchtigen Stunde ertragen, was uns unerträglich wird, wenn Stunde an Stunde sich zum Tage reiht; daß ein kindisches oder verwegenes Spiel, eine trübe oder leidenschaftliche Laune uns reizt und ergötzt, dagegen uns schmerzlich berührt, wenn jenes Spiel, durch häufige Wiederholung, sich als Ernst, und jene Laune, durch ihre Dauer, sich als Gemütsart darstellt.

Einige Freunde verabreden sich, an bestimmten Tagen zusammenzukommen, um sich die Schöpfungen ihres Geistes und wechselseitig ihr Urteil darüber mitzuteilen. Sie nennen sich *Serapions-Brüder*, nicht darum bloß, weil sie am Kalendertage des Märtyrers Serapion sich zum ersten Male vereinigt hatten, sondern auch, weil sie im Geiste jenes Heiligen dichten und trachten wollten. Der heilige Serapion hatte, wie die Legende lehrt, unter dem Kaiser Decius den grausamsten Märtyrertod erlitten. Man trennte die Junkturen der Glieder und stürzte ihn dann vom hohen Felsen herab. Das ist aber keineswegs das hohe Ziel, das sich die Berliner Serapions-Brüder vorgesetzt; sie sitzen vielmehr bei Sala Tarone unter den Linden und trinken italienische Weine, auch wohl kalten Punsch, leben also gar nicht wie die Anachoreten. Sie haben nur in *dem* Sinne jenen Heiligen zum Schutzpatron ihres Klubs und seine Regel zu der ihrigen gemacht, als sie ihre poetische Dichtungen in dem Geiste eines gewissen verrückten Grafen schaffen wollten, der sich für den Märtyrer Serapion hielt und einsiedlerisch lebte. Mit der Geschichte dieses Wahnsinnigen beginnt das Buch. Einer der Freunde erzählt sie. Auf seinen Reisen habe er von dem Grafen gehört und ihn in dem Walde, wo er sich angesiedelt, aufgesucht. Darauf habe er sich in ein Gespräch mit ihm eingelassen und ihn nach den Grundsätzen des Pinels und Reils von seiner fixen Idee heilen wollen, sei aber ganz beschämt abgeführt worden. Denn der Graf habe ihm bewiesen, wie er, der psychologische Experimentator, eigentlich verrückt sei, indem er nicht begreifen wolle, daß sie sich in der thebaischen Wüste befänden. Darauf habe ihm der Graf mit hoher Begeisterung einige Gesichte mitgeteilt, die in Erstaunen setzten wegen der *plastischen Ründung* und des *glühenden Lebens*, mit der sie dargestellt wurden.

Nachdem diese Erzählung geendet, läßt sich einer der versammelten Serapions-Brüder wie folgt vernehmen: »Ich verehre Serapions Wahnsinn deshalb, weil nur der Geist des vortrefflichsten oder vielmehr des wahren Dichters von ihm ergriffen werden kann. Woher kommt es, daß so manches Dichterwerk wirkungslos bleibt, als daher, daß der Dichter nicht das wirklich schaute, wovon er spricht? Vergebens ist das Mühen des Dichters, uns dahin zu bringen, daß wir daran glauben sollen, woran er selbst nicht glaubt, nicht glauben kann, weil er es nicht erschaute. Der Einsiedler war ein wahrhafter Dichter, er hatte das wirklich geschaut, was er verkündete, und deshalb ergriff seine Rede Herz und Gemüt.« »Dessen wollen wir eingedenk sein, so oft wir bei unseren Zusammenkünften einer dem andern nach alter Weise manches poetische Produktlein, das wir unter dem Herzen getragen, mitteilen werden. Jeder prüfe wohl, ob er auch wirklich das geschaut, was er zu verkünden unternommen, ehe er es wagt, laut damit zu werden. Der Einsiedler Serapion sei unser Schutzpatron, er lasse seine Sehergabe über uns walten, seiner Regel wollen wir folgen als getreue Serapions-Brüder.«

So durch und durch, so ganz, nicht bloß nach innen, sondern auch an seinen Oberflächen wertlos, so ohne die geringste Beimischung von Wahrheit ist jener Lehrsatz, der von der Natur des Dichters gegeben wird, daß Täuschung und Verwechslung unmöglich ist und es nur weniger Worte bedarf, um zu zeigen, worin die Falschheit bestehe. Wie die Anbetung den Gott, so schafft erst die Bewunderung das Kunstwerk, es sei ein Gedicht, eine Bildnerei oder ein anderes. Ist es in jedem Kunstwerk die Vollkommenheit irgend eines Wesens, was jene Bewunderung erregt, so muß, daß diese erregt werden könne, jenes Wesen *faßlich* sein – faßlich für den Verstand, für den Glauben oder die Phantasie. Wie aber kann ein Kunstwerk faßlich werden, wenn es der Künstler nicht freigibt, wenn es die Werkstätte des Künstlers nicht verläßt? Will der Dichter mit den Blumen seiner Wartung, die er in den Boden unserer Phantasie verpflanzt, auch die Blumenerde versetzen, aus der jene hervorgesprossen, will er durch seine eigene Phantasie die des Lesers verdrängen, dann weisen wir seine Gaben zurück, weil nur für das Geschenk, nicht aber für den Geber Raum haben. Nie wird der Dichter glaublich machen, was er selbst glaubt, nie anschaulich, wenn er das, was er uns zeigt, selbst gesehen. Dann wird die Dichtung zur Wahrheit, das Märchen zur Geschichte, die den Verstand befriedigt, sättigt, und alle Lust der Einbildungskraft zerstört. Dann wird das Bild zur Konterfei, mit aller Beschränkung, worin jede Wirklichkeit gefangen ist; dann wird das Kunstwerk zum Spiegelbilde des Künstlers, ein Schatten, wenn wir vorwärts, ein nüchternes Dasein aus Fleisch und Bein, wenn wir es rückwärts schauen. Es ist falsch, daß der wahre Dichter ein Seher sei. Ein Seher ist ein verzückter oder ein verrückter Geist, ein Gott, zu dem wir nicht hinaufreichen, oder ein kranker Mensch, zu dem wir nicht hinabsteigen können. Der Dichter aber muß menschlich fühlen, um Menschen zu bewegen.

Daß er dieses muß, daß er nicht glauben dürfe, was er glauben, nicht sehen, was er anschaulich machen möchte, das hat der Verfasser der Serapions-Brüder unwiderleglicher, als es ein anderer vermöchte, an seinem Werke selbst gezeigt. Er *hat* geglaubt, er *hat* gesehen, darum sind es aber auch keine Dichtungen, die er uns gibt; sie sind nicht etwa mehr, nicht etwa weniger, sie sind ein anderes. Er gibt uns eine werdende, noch im Gären begriffene, oder eine untergehende Welt. Sonne, Mond und Sterne, Tag und Nacht, Wasser, Feuer, Erde und alle Elemente, die Tiere des Waldes und die Fische des Meeres und die Vögel in den Lüften, alles bewegt sich in tollem Taumel und streitet um die Herrschaft; nur der Mensch ist abwesend. Aber es ist nicht etwa der heitere Mutwille, der mit Freiheit und Ergötzen alles untereinander wirft, es ist der vom Hexentrank berauschte Blocksbergreiter, der

116

treibt, weil er wird getrieben, und so findet der Leser an der Besonnenheit des Dichters keine Brustwehr, die ihn vor dem Herabstürzen sichert, wenn ihn beim Anblicken der tollen Welt unter seinen Füßen der Schwindel überfällt.

In allen diesen gesammelten Erzählungen und Märchen herrscht eine abwärts gekehrte Romantik, eine Sehnsucht nach einem tieferen, nach einem unterirdischen Leben, die den Leser anfröstelt und verdrießlich macht. Es ist Phantasie darin, aber nicht die hellaufflammende, schaffende, sondern eine rotglühende, zersetzende Phantasie. Wer auf Marionettenbühnen jene tanzenden Figuren gesehen hat, die Hände und Arme, dann Füße und Schenkel, endlich den Kopf wegschleudern, bis sie zuletzt als greuliche Rumpfe umherspringen, der hat die Gestalten der Hoffmannschen Erzählungen gesehen, nur daß diese von allen Gliedern den Kopf zuerst verlieren. Man hört nicht die Aussprüche eines verzückten, begeisterten, man vernimmt nur die erzwungenen Geständnisse eines auf die Folter gespannten Gemüts. Es ist kein Tagesstrahl in den Gemälden, alles Licht kommt nur von Irrwischen, Blitzen und Feuersbrünsten. Man hört in dieser öden, herbstlichen, welken Natur keinen Ton eines frischen, gesunden, lebenskräftigen Wesens, man hört nur das Gewinsel der Kranken und Sterbenden und das Geschrei der Eulen, die um Äser schwirren. Selbst die Musik, die in allen Werken des Verfassers wiederklingt, sie dient nicht dazu, den Himmel, dessen Dolmetscherin sie ist, auf die Erde herabzuziehen und ihr verständlich zu machen, sie wird nur gebraucht, um höhnend den unermeßlichen Abstand zwischen Himmel und Erde zu beweisen, zu zeigen, daß jene Höhe von sehnsuchtsvollen Menschen nie erreicht werden könne, und ihnen »*das Mißverhältnis des innern Gemüts mit dem äußern Leben*« genau vorzurechnen, damit sie ja nicht der Verzweiflung entgehen.

In den Worten, die der Verfasser einem der Serapions-Brüder sagen läßt: »ich tadle, o Cyprian, deinen närrischen Hang zur Narrheit, deine wahnsinnige Lust am Wahnsinn. Es liegt etwas Überspanntes darin, das dir selbst mit der Zeit wohl lästig werden wird«, hat der Verfasser das Urteil gegen sich selbst gesprochen, und noch ein schonendes, denn beharrlich hat er durch alle seine Werke gezeigt, daß ihm jener Hang noch immer nicht lästig geworden ist. Eine Reihe heiterer Gemälde mag hier und dort, von einem schauerlichen Nachtstücke unterbrochen, noch genußbringender werden. Nur dürfen nicht alle Wände damit behängt sein, nur muß ein Sternenschein die Nacht sichtbar machen, daß sie nicht zum unergründlichen dunkeln Nichts werde. Der Schrecken muß in der getäuschten Einbildungskraft, nicht in der Sache selbst sein, und Maß überall. Die Ägypter würzten ihre Freudengelage durch den Anblick des Todes; der Anblick des Sterbens hätte alle Lust vernichtet.

Ich sagte früher: die Erzählungen, die uns der Verfasser gibt, sind keine Dichtungen, *sie sind ein anderes*, und hier ist das kurze freundliche Abendrot des langen mürrischen Urteils. Es wird gefragt, welchen Zweck hatten diese Erzählungen? Dieses ist zwar eine sehr philistermäßige Frage, wie die Serapions-Brüder mit Recht spotten können. Denn ein Buch *will* nichts, es zeigt sich, es ist da. Aber fordert auch ein Buch nichts, so gewährt ihm doch der Leser etwas, und er gewährt ihm, was er glaubt, daß ihm gebühre. Den Wert eines poetischen Werkes habe ich gewagt ihm abzusprechen, aber den eines wissenschaftlichen gebe ich ihm willig. Es ist ein Lehrbuch mit den schönsten Bildnissen geziert, es ist der elegante *Pinel*, es ist *die Epopee des Wahnsinns*. Ein lobenswertes Unternehmen, wenn es lobenswert ist, den menschlichen Geist, der nachtwandelnd an allen Gefahren unbeschädigt vorübergeht, aufzuwecken, um ihn vor dem Abgrunde zu warnen, der zu seinen Füßen droht.

Humoralpathologie
(1820)

Die Katze gehört zum edlen Geschlechte des Löwen; aber nur der Abschaum königlichen Blutes fließt in ihren Adern. Sie ist ohne Mut, und darum ohne Großmut; ohne Kraft, und darum falsch; ohne Freundlichkeit, und darum schmeichelnd. Der Tag blendet sie, am schärfsten sieht sie im Dunkeln. Sie liebt die Höhen nicht, sie liebt nur das Steigen; sie hat einen Klettersinn und klettert hinauf, um wieder herabzuklettern. Minder widerlich ist selbst ihr tückisches Knurren als ihr zärtliches Miauen. Nicht dem Menschen, der sie wartet, nur dem Hause, worin sie gefüttert worden, bleibt sie treu. Eine entartete Mutter, frißt sie ihre eigenen Jungen. So ist die Katze! So ist auch der *Katzenhumor*, der in Hoffmanns *Kater Murr* spinnt. Ich gestehe es offen, daß dieses

Werk mir in der innersten Seele zuwider ist, mag man es auch eben so kindisch finden, ein Buch zu hassen, das einem wehe tat, als es kindisch ist, einen Tisch zu schlagen, woran man sich gestoßen. Aber nicht über die genannte Schrift insbesondere, sondern über die darin fortgespielte mißtönende Weise, die auch in allen übrigen Werken des Verfassers uns beleidigend entgegenklingt, über die beständig darüber herziehende, naßkalte, nebelgraue, düstere und anschauernde Witterung will ich einige Worte sagen. Die Überschrift, welche diese Betrachtung führt, ein Wort, dessen Bedeutung die neuere Arzneikunst verwirft, wurde darum gewählt, weil gezeigt werden soll, daß der *Humor* in den Schriften des Verfassers der Phantasiestücke ein *kranker* ist. Der gesunde und lebensfrische Humor atmet frei und stöhnt nicht mit enger Brust. Er kennt die Trauer, aber nur über fremde Schmerzen, nicht über eigene. Er berührt die Wunde nicht, die er nicht heilen kann, und reizt sie nie vergebens. Er sieht von der Höhe auf alle Menschen herab, nicht aus Hochmut, sondern um alle seine Kinder mit einem Blicke zu übersehen. Was sich liebt, trennt er, um die Neigung zu verstärken; was sich haßt, vereinigt er, nicht um den Hader, um die Versöhnung herbeizuführen. Er entlarvt den Heuchler und verzeiht die Heuchelei; denn auch die Maske hat ein Menschenantlitz, und in der häßlichen Puppe ist ein schönerer Schmetterling verborgen. Er findet nichts verächtlich als die Verachtung und achtet nichts, weil er nichts verachtet. Nichts ist ihm heilig, weil ihm alles heilig erscheint; die ganze Welt ist ihm ein Gotteshaus, jedes Menschenwort ein Gebet, jede Kinderlust ein Opfer auf dem Altare der Natur. Er zieht den Himmel erdwärts, nicht um ihn zu beschmutzen, sondern um die Erde zu verklären. Er kennt nichts Häßliches, doch verschönt er es, um es gefälliger zu machen. Er liebt das Gute und beklagt die Schlechten; denn das Laster ist ihm auch eine Krankheit und der Tod durch des Henkers Schwert nur eine andere Art zu sterben. Er zürnt mit seinem eignen Zorne, denn nur das Überraschende entrüstet, und nur der Schlafende wird überrascht. Er verspottet seine eigne Empfindung, denn jeder Regung geht Gleichgültigkeit vorher, und jede Vorliebe ist eine Ungerechtigkeit. Er erhebt das Niedrige und erniedrigt das Hohe, nicht aus Trotz, oder um zu demütigen, sondern um beides gleich zu setzen, weil nur Liebe ist, wo Gleichheit. Er tröstet nicht, er unterdrückt das Bedürfnis des Trostes. Stets rettend, lindernd, heilend, verletzt er sich selbst mit scharfem Dolche, um dem Verwundeten mit Lächeln zu zeigen, daß solche Verletzungen nicht tödlich seien. Seine Sorgfalt endet nicht, wenn die Wunde sich geschlossen; Narben sind auch Wunden, die Erinnerung ist auch ein Schmerz; er glättet jene und vernichtet diese. Der Geist der Liebe haucht fort und fort aus ihm, alles befördernd; er treibt das Schiff, wenn es die Gefahren des Meeres, und führt es zurück, wenn es den Hafen sucht – er rechtet nicht mit den Begehrungen der Menschen, denn Schulden beglückt mehr als Finden.

Der gute Geist der Liebe, der versöhnt und bindet und die im Prisma des Lebens entzweiten Farben in den Schoß der Muttersonne zurückführt, jener Geist – er kommt nie ungerufen – beseelt die Werke des Verfassers der Phantasiestücke nicht mit dem leisesten Hauche. Das neckende Gespenst des Widerspruchs, das jede Freude verdirbt und jeden Schmerz verhöhnt, steigt dort, von grauer Mitternacht umgeben, aus dem Grabe aller Empfindungen herauf. Er führt uns auf die höchsten Gipfel, um uns tiefer herabzustürzen, und selbst sein Himmel ist ein unterirdischer. Er dringt in die Tiefe aller Dinge, um ihren geheimnisvollen Wechselhaß, nicht um ihre verschwiegene Liebe zu verraten. *Kreisler* ist der Unglücklichste aller Verdammten. Er ist ein gestürzter Engel. Die Brücke, welche der *gute* Humor über alle Spalten und Spaltungen des Lebens führt, reißt der *entartete* nieder; die Harrenden auf beiden Seiten strecken sich sehnsuchtsvoll die Arme entgegen und verzweifeln um so mehr, je näher die Ufer sind. Selbst die Musik, diese Himmelskönigin, die er liebend verehrt, steht in unerreichbarer Ferne von ihm; sie hört seine Gebete nicht, und nie gab es eine mißtönendere Seele als die jenes *Kreisler*, der rastlos den Wohllaut sucht und niemals findet, weil der Widerklang im eignen Herzen fehlt.

Empfindsamkeit und Spott sind die beiden Pole, jene der anziehende, dieser der abstoßende des Humors. Aber nur in der Mitte ist der Indifferenzpunkt der Liebe. Wo sie versöhnt zusammentreffen, da schmilzt die eine den Frost des anderen, oder der Spott kühlt säuselnd die Sonnenglut der Empfindung ab. Wenn sie aber auseinander stehen, ist die Empfindsamkeit nur eine gefährliche Abneigung, eine launische Wahlverwandtschaft, die uns mit *einem* Stoffe verbindet und von tausenden trennt, – und der Spott wird zum Hasse. So in seine Bestandteile gespalten, erscheint der Humor in den genannten Werken, und ganz so, wie er dem Meister Abraham tadelnd zugeschrieben wird, nicht »als jene seltene wunderbare Stimmung des Gemüts, die aus der tiefern Anschauung des Lebens in all seinen Bedingnissen, aus dem Kampf der feindlichsten Prinzipe sich erzeugt, sondern nur durch das entschiedene Gefühl des Ungehörigen, gepaart mit dem Talent, es ins Leben zu schaffen, und der Notwendigkeit der eignen bizarren Erscheinung. Dieses war die Grundlage des verhöhnenden Spottes, den Liscov überall ausströmen ließ, der Schadenfreude, mit der er alles als ungehörig erkannte, rastlos verfolgte, bis in die geheimsten Winkel.« Kreisler hat sich selbst das Urteil gesprochen: nicht anders ist sein eigner Humor. Ein zerrissenes Gemüt, ein alles zerreißender Spott. Seine Gefühle sind nur Verzerrungen, nicht rührender als das Zucken des Froschschenkels an der galvanischen Säule, und der Friede seines Gemüts zeigt nur die Ruhe einer Maske. Was die Natur am innigsten verwebte, zieht er in die Fäden der Kette und des Einschlags auseinander, um hohnlächelnd ihre feindlichen Richtungen zu zeigen. Daher auch seine harten Schmähungen, mit welchen er diejenigen verfolgt, die an musikalischen *Spielen* ihre Lust finden und welchen die Kraft oder Neigung fehlt, die Kunst als heiligen Ernst zu fassen und auszuüben. Kreisler fordert unduldsam, seine Göttin solle, gleich dem grausamen Gotte der Juden, dem auserwählten kleinen Volke der Künstler ausschließlich zugehören. Noch nie haben Priester den Tempel, den sie bewahren, Gläubigen verschließen wollen! Musik ist Gebet; ob nun das Kind es herstammele, ob der rohe Mensch in roher Sprache es halte, ob der Gebildete in sinnigen geistvollen Worten – der Himmel hört sie mit gleicher Liebe an und gibt jedem den Widerklang *seiner* Empfindung als Trost zurück. Das Gassenlied, das den rohen Gesellen hinauftreibt, ist so ehrwürdig, als die erhabenste Dichtung Mozarts, die ein empfängliches Ohr begeistert. Und welche Musik ist beglückender, die berauschende des wahnsinnigen Kapellmeisters, die als Bacchantin und Furie das Herz durch alle Wonnen, durch alle Qualen peitscht, oder die sanft erwärmende, die still erfreut und täglich und häuslich genossen werden kann? Darf man eine Freude zerstören, weil man sie verwirft und nicht teilen mag? Warum gegen die musikalischen Tändeleien eifern, da durch sie allein die ernste Kunst fortgepflanzt wird, weil jede Größe in Kunst und Wissenschaft nur die zusammengezogene Zahl vorhergehender kleinerer Zahlen ist, und da kein Gut an die Stelle des Genusses käme, wenn nicht seines Wertes unkundige Fuhrleute, sich mit dem Ertrage des Gewichtes begnügend, es weiter brächten?

Kater Murr und die ihm vorhergegangenen Werke seines Verfassers sind Nachtstücke, nie von sanftem Mondscheine, nur von Irrwischen, fallenden Sternen und Feuersbrünsten beleuchtet. Alle seine Menschen stehen auf der faulen wankenden Brücke, die von dem Glauben zum Wissen führt; unter ihnen droht der Abgrund, und die erschrockenen Wanderer wagen weder vorwärts zu schreiten noch zurück und harren unentschlossen, bis die Pfeiler einstürzen. Das ist seine Stärke, seine Wissenschaft und seine Kunst, – die Geisterwelt aufzuschließen, zu verraten das Leben der leblosen Dinge, an den Tag zu bringen die verborgenen Fäden, womit der Mensch, und der glückliche, ahndungslos gegängelt wird; jede Blume als ein lauerndes Gespensterauge, jeden freundlich sich herüberneigenden Zweig als den ausgestreckten Arm einer zerstörenden dunklen Macht erscheinen zu lassen. Es ist der *dramatisierte Magnetismus*, und wenn das Konversationslexikon von jenem Schriftsteller bemerkt: daß er durch die grellsten Dissonanzen zur *harmonischen Auflösung* durchdringe, so ist ja eben in dieser Auflösung das Anschauernde, Unheimliche, Verletzende. Eine unerklärliche schreckliche Erscheinung wird dem Erzähler nicht geglaubt und mag als Werk der Einbildungskraft erheitern; aber sobald er sie *natürlich* erklärt und so den Glauben erzwingt, weckt er den Menschen aus seiner fröhlichen Sorglosigkeit, zieht ihn von den freundlich lichten Höhen in den dunklen Abgrund hinab, wo die zerstörende Natur unter Scherben und Leichen sitzt. Ein Streben, das keinen Dank verdient:

> Es freue sich,
> Wer da atmet im rosigen Licht;
> Da unten aber ist's fürchterlich!
> Und der Mensch versuche die Götter nicht,
> Und begehre nimmer und nimmer zu schauen,
> Was sie gnädig bedecken mit Nacht und Grauen.

Nur allein die Liebe, die ihm mangelt, kann dem Verfasser des Kater Murr Verzeihung gewähren selbst für diesen Mangel, und wir endigen besänftigt und besänftigend mit den Worten, die Faust seiner den Unhold ahnenden Margaretha sagt:

> Es muß auch solche Käuze geben.

Denkrede auf Jean Paul

Vorgetragen im Museum zu Frankfurt, am 2. Dezember 1825

Ein Stern ist untergegangen, und das Auge dieses Jahrhunderts wird sich schließen, bevor er wieder erscheint; denn in weiten Bahnen zieht der leuchtende Genius, und erst späte Enkel heißen freudig willkommen, von dem trauernde Väter einst weinend geschieden. Und eine Krone ist gefallen von dem Haupte eines Königs! Und ein Schwert ist gebrochen in der Hand eines Feldherrn; und ein hoher Priester ist gestorben! Wohl mögen wir den beweinen, der uns Ersatz gewesen und uns nun unersetzlich geworden. Jedem Lande ward für jedes trübe Entbehren irgendeine freundliche Vergütung. Der Norden ohne Herz hat seine eiserne Kraft; der kränkelnde Süden seine goldene Sonne; das finstere Spanien seinen Glauben; die darbenden Franzosen erquickt der spendende Witz, und Englands Nebel verklärt die Freiheit. *Wir* hatten Jean Paul, und wir haben ihn nicht mehr, und in ihm verloren wir, was wir nur in ihm besaßen: Kraft und Milde und Glauben und heitern Scherz und entfesselte Rede. Das ist der Stern, der untergegangen: der himmlische Glaube, der in dem Erloschenen uns geleuchtet. Das ist die Krone, die herabgefallen: die Krone der Liebe, die den beherrschte, der sie getragen, wie alle, die ihm untertan gewesen. Das ist das Schwert, das gebrochen: der Spott in scharfer Hand, vor dem Könige zittern und der blutleere Höflinge erröten macht. Und das ist der hohe Priester, der für uns gebetet im Tempel der Natur – er ist dahingeschieden, und unsere Andacht hat keinen Dolmetscher mehr. Wir wollen trauern um ihn, den wir verloren, und um die andern, die ihn nicht verloren. Nicht allen hat er gelebt! Aber eine Zeit wird kommen, da wird er allen geboren, und alle werden ihn beweinen. Er aber steht geduldig an der Pforte des zwanzigsten Jahrhunderts und wartet lächelnd, bis sein schleichend Volk ihm nachkomme. Dann führt er die Müden und Hungrigen ein in die Stadt seiner Liebe; er führt sie unter ein wirtliches Dach: die Vornehmen, verzärtelten Geschmacks, in den Palast des hohen Albano; die Unverwöhnten aber in seines Siebenkäs enge Stube, wo die geschäftige Lenette am Herde waltet und der heiße beißende Wirt mit Pfefferkörnern deutsche Schüsseln würzt.

Jahrhunderte ziehen hinab, die Jahreszeiten rollen vorüber, es wechselt die Witterung des Glücks; die Stufen des Alters steigen auf und steigen nieder. Nichts ist dauernd als der Wechsel, nicht beständig als der Tod. Jeder Schlag des Herzens schlägt uns eine Wunde, und das Leben wäre ein ewiges Verbluten, wenn nicht die Dichtkunst wäre. Sie gewährt uns, was uns die Natur versagt: eine goldene Zeit, die nicht rostet, einen Frühling, der nicht abblüht, wolkenloses Glück und ewige Jugend. Der Dichter ist der Tröster der Menschheit; er ist es, wenn der Himmel selbst ihn bevollmächtigt, wenn ihm Gott sein Siegel auf die Stirne gedrückt und wenn er nicht um schnöden Botenlohn die himmlische Botschaft bringt. So war Jean Paul. Er sang nicht in den Palästen der Großen, er scherzte nicht mit seiner Leier an den Tischen der Reichen. Er war der Dichter der Niedergebornen, er war der Sänger der Armen, und wo Betrübte weinten, da vernahm man die süßen Töne seiner Harfe. Mögen wir der stolzen Glocke, die an seltenen Festtagen majestätisch schallt, unsere Ehrfurcht zollen – unsere Liebe wird der vertrauten Uhr, die jeden Pulsschlag unsers Herzens begleitet, die jede Viertelstunde unserer Freude nachtönt und alle unsere Schmerzen Minute nach Minute von uns nimmt.

In den Ländern werden nur die Städte gezählt; in den Städten nur die Türme, Tempel und Paläste, in den Häusern ihre Herren; im Volke die Kameradschaften; in diesen ihre Anführer. Vor allen Jahreszeiten wird der Frühling geliebkost; der Wanderer staunt breite Wege und Ströme und Alpen an; und was die Menge bewundert, preisen die gefälligen Dichter. Jean Paul war kein Schmeichler der Menge, kein Dichter der Gewohnheit. Durch enge, verwachsene Pfade suchte er das verschmähte Dörfchen auf. Er zählte im Volke die Menschen, in den Städten die Dächer und unter jedem Dache jedes Herz. Alle Jahreszeiten blühten ihm, sie brachten ihm *alle* Früchte. Auch der ärmste Dichter, und schlotterte ihm nur *eine* Saite noch auf seiner kümmerlichen Leier, hat die Feiertage der ersten Liebe besungen. Jean Paul wartet diese heilige Flamme, bis sie mit dem Tode verlischt. Bei jeder goldenen Hochzeit ist er der trauende Priester, der die alten Herzen noch einmal aneinanderlegt und die zitternden Hände zum letzten Male paart, bevor der Tod sie trennt. Durch Nebel und Stürme und über gefrorne Bäche dringt er in das eingeschneite Häuschen eines Dorfschulmeisters, die Christnachtfreuden seiner Kinder zu teilen. Mit vollen Klängen besingt er die königliche Lust auf den Wonneinseln des Lago Maggiore; aber mit leisern und wärmern Tönen das enge Glück eines deutschen Jubelseniors und die Freuden eines schwedischen Pfarrers.

Für die Freiheit des Denkens kämpfte Jean Paul mit andern; im Kampfe für die Freiheit des Fühlens steht er allein. Seltsame, wunderliche Menschen, die wir sind! Fast sorglicher noch als unsern Haß suchen wir unsere Liebe zu verbergen, und wir fliehen so ängstlich den Schein der Güte, als wir unter Dieben den Schein des Reichtums meiden. Wie oft geschieht es, daß wir auf dem Markte des täglichen Treibens oder in den Sälen alltäglichen Geschwätzes all den wichtigen, volljährigen Dingen, die hier getrieben, dort besprochen werden, erlogene Aufmerksamkeit schenken! Wir scheinen gelassen und sind bewegt, scheinen ernst und sind weich, scheinen wach und sind von süßer Lust gewiegt, gehen bedächtigen Schrittes, und unser Herz taumelt von Erinnerung zu Erinnerung und wir wandeln mit breitem Fuße zwischen den Blumenbeeten unserer Kindheit und erheben uns auf den Flügeln der Phantasie zu den roten Abendwolken unsrer hinabgesunkenen Jugend. Wie ängstlich lauschest du dann umher, ob kein Auge dich ertappt, ob kein Ohr die stillen Seufzer deiner Brust vernommen! Dann tritt Jean Paul nahe an dich heran und sagt dir leise und lächelnd: »Ich kenne dich!« Du verbirgst deine Freuden, weil sie dir zu kindlich scheinen für die Teilnahme der Würdigen; du verheimlichst deine Schmerzen, weil sie dir zu klein dünken für das Mitleid. Jean Paul findet dich auf und deine verstohlene Lust und spricht: »Komm, spiele mit mir!« Er schleicht sich in die Kammer, wo du einsam weinest, wirft sich an dein Herz und sagt: »Ich komme, mit dir zu weinen!« Schlummert und träumt irgendeine kindliche Neigung in deiner Brust, und sie erwacht, steht Jean Paul vor ihrer Wiege, und vielleicht waren es nur seine Lieder, die dein Herz in solchen Schlaf und in solche Träume gelullt. Nicht wie andere es getan, spürt er nach den verborgenen Einöden im menschlichen Herzen, er sucht darin die versteckten Paradiese auf. Er löset die Rinde von der verhärteten Brust und zeigt den weichen Bast darunter; und in der Asche eines ausgebrannten Herzens findet er den letzten halbtoten Funken und facht ihn zur hellen Liebesflamme an. Darin hat er seinem Volke wohlgetan, darin war er sein Retter! Es gab eine Zeit, wo kein deutscher Jüngling, wenn er liebte, zu sagen wagte: »Ich liebe dich.« Zünftig und bescheiden, wie er war, sagte er: »Wir lieben dich, Mädchen!« Hinangezogen am Spalier der Staatsmauer, hatte er verlernt, seinen eignen Wurzeln zu trauen. Jean Paul munterte die blöden Herzen auf; er zuerst wagte das jedem Deutschen so grause Wort *Ich* auszusprechen, und wenn die Freiheit nicht darin besteht, daß man ohne Gesetze lebe, sondern daß jeder sein eigner Gesetzgeber sei, so war es Jean Paul, der für unsere Enkel die Saat der deutschen Freiheit ausgestreut.

Jean Paul war der Dichter der Liebe auf die schönste und erhabenste Weise, wie man dieses Wort nur deuten mag. Einst in seiner Jugend hatte er folgenden Eid geschworen: »Großer Genius der Liebe! ich achte dein heiliges Herz, in welcher toten oder lebenden Sprache, mit welcher Zunge, mit der feurigen Engelszunge oder mit einer schweren, es auch spreche, und will dich nie verkennen, du magst wohnen im engen Alpental oder in der Schottenhütte, mitten im Glanze der Welt; und du magst den Menschen Frühlinge schenken oder hohe Irrtümer oder einen kleinen Wunsch oder ihnen alles, alles nehmen!« Er hat den Eid geschworen, und er hat ihn gehalten bis in den Tod. Doch was ist Liebe ohne Gerechtigkeit? Die Milde des Räubers, der dem einen schenkt, was er dem andern genommen. Jean Paul war auch ein Priester des Rechts. Die Liebe war ihm eine heilige Flamme und das Recht der Altar, auf dem sie brannte, und nur reine Opfer brachte er ihr. Er war ein sittlicher Sänger. Nie schmückte er häßliche Sünde mit den Blumen seiner Worte aus; nie bedeckte er eine unedle Regung mit dem Golde seiner Reden. Er hätte es vermocht, wenn er gewollt; auch er hätte vermocht, mit seinem mächtigen Zauber dem frommen Tadler ein Lächeln abzuschmeicheln; aber er hat es nicht getan. Er stritt für Wahrheit, für Recht, für Freiheit und Glauben, und nie deckte bei ihm die Flagge eines mächtigen Namens sündlich-heilloses Gut, es den Ungläubigen zuzuführen.

Die Trostbedürftigen zu trösten und als befruchtender Himmel dürstende Seelen zu erquicken – dazu allein ward der Dichter nicht gesendet. Er soll auch der Richter der Menschheit sein und Blitz und Sturm, die eine Erde voll Dunst und Moder reinigen. Jean Paul war ein Donnergott, wenn er zürnte, eine blutige Geißel, wenn er strafte; wenn er verhöhnte, hatte er einen guten Zahn. Wer seine Spott zu fürchten hatte, mochte ihn fliehen; ihn zu verlachen, wenn er ihm begegnete, war keiner frech genug. Trat der Riese Hochmut ihm noch so keck entgegen, seine Schleuder traf ihn gewiß! Verkroch sich die Schlauheit in ihrer dunkelsten Höhle, er legte Feuer daran, und der betäubte Betrüger mußte sich selbst überliefern. Sein Geschoß war gut, sein Auge besser, seine Hand war sicher. Er übte sie gern, seinen Witz hinter Höfe und hinter Deutschland hetzend. Nicht nach der Beute der Jagd gelüstete ihm, er wollte nur fromm die Felder des Bürgers und des Landmanns Äcker vor Verwüstungen schützen. Von der Feder manches Raubvogels, von dem Geweihe und der Klaue manch erlegten Wildes könnten wir erzählen; doch lassen wir uns zu keinen Jagdgeschichten verlocken in dieser sehr guten Hegezeit, wo schon strafbar gefunden und bestraft wird, nur die Büchse von der Wand herabzuholen.

Freiheit und Gleichheit lehrt der Humor und das Christentum – beide vergebens. Auch Jean Paul hätte vergebens gelehrt und gesungen, wäre nicht das Recht ein liebes Bild des toten Besitzes und die Hoffnung eine Schmeichlerin des Mangels. Jean Paul hat gut gemalt, er hat uns zart geschmeichelt. Der Humor ist keine Gabe des Geistes, er ist eine Gabe des Herzens, er ist die Tugend selbst, wie ein reichbegabtes Herz sie lehrend übt, weil es sie nicht übend lehren darf. Der Humorist ist der Hofnarr des Königs der Tiere in einer schlechten Zeit, wo die Wahrheit nicht tönen darf wie ein heilige Glocke, wo man ihr nur ihr Schellengeläute vergibt, weil man es verachtet, weil man es belächelt. Der Humorist löst die Binde von den Füßen des Saturns, setzt dem Sklaven den Hut des Herrn auf und verkündigt das saturnalische Fest, wo der Geist das Herz bedient und das Herz den Geist verspottet. Einst war eine schönere Zeit, wo man den Humor nicht kannte, weil man nicht die Trauer und nicht die Sehnsucht kannte. Das Leben war ein olympisches Spiel, wo jeder durfte seine Kraft und Hurtigkeit erproben. Der Schwäche war nur das Ziel versperrt, nicht der Weg; der Preis verweigert, nicht der Kampf. Jean Paul war der Jeremias seines gefangenen Volkes. Die Klage ist verstummt, das Leid ist geblieben. Denn jene falschen Propheten wollen wir nicht hören, die ihn begleitet und ihm nachgefolgt; und nur aus Liebe zu dem geliebten Toten wollen wir seiner kranken Nachahmer mit mehr nicht als mit wenigen Worten gedenken. Sie dünken sich frei, weil sie mit ihren Ketten rasseln; kühn, weil sie in ihrem Gefängnisse toben, und freimütig, weil sie ihre Kerkermeister schelten. Sie springen vom Kopfe zum Herzen, vom Herzen zum Kopfe – sie sind hier oder dort; aber der Abgrund ist geblieben; sie verstanden keine Brücke über die Trennungen des

Lebens zu bauen. Verrenkung ist ihnen Gewandtheit der Glieder, Verzerrung Ausdruck des Gesichts, sie klappern prahlend mit Blechpfennigen, als wenn es Goldstücke wären, und wirft ihnen ja einmal der Schiffbruch des Zufalls irgendein Kleinod zu, wissen sie es nicht schicklich zu gebrauchen, und man sieht sie, gleich jenem Häuptling der Wilden, ein Ludwigskreuz am Ohrläppchen tragen.

Die Bewunderung preist, die Liebe ist stumm. Nicht preisen wollen wir Jean Paul, wir wollen ihn beweinen! Der lüsterne Gast vergißt über das Mahl den Wirt, der herzlose Kunstfreund den Künstler über sein Werk. Zwar wird als Dankbarer gelobt, wer von der genossenen Wohltat erzählt; aber der Dankbarste ist, der die Wohltat vergißt, sich nur des Wohltäters zu erinnern. So wollen wir des seligen Geistes liebend gedenken, nicht der Arbeiten und Werke, womit er unsere Bewunderung verdient. Und wollten wir anders, wir vermöchten es nicht. Man kann Jean Pauls Werke zählen, nicht sie schätzen. Die Schätze, die er hinterlassen, sind nicht alle gemünztes Gold, das man nur einzurollen braucht. Wir finden Barren von Gold und Silber, Kleinodien, nackte Edelsteine, Schaumünzen, die der Gewürzkrämer als Bezahlung abweist; aufgespeicherte, ungemahlne Brotfrucht und Äcker genug, worauf noch die spätesten Enkel ernten werden. Solcher Reichtum hat manches Urteil arm gemacht. Fülle hat man Überladung gescholten, Freigebigkeit als Verschwendung! Weil er so viel Gold besaß als andere Zinn, hat man als Prunksucht getadelt, daß er täglich aus goldenen Gefäßen aß und trank. Hat aber Jean Paul doch hierin gefehlt, wer hat seinen Irrtum verschuldet? Wenn große Reichtümer durch viele Geschlechter einer Familie herab erben, dann führt die Gewohnheit zur Mäßigkeit des Genusses; die Fülle wird geordnet; alles an schickliche Orte gestellt und um jeden Glanz der Vorhang des Geschmacks gezogen. Der Arme aber, den das Glück überrascht, den es die nackten Wände zauberschnell mit hohen Pfeilerspiegeln bedeckt, dem der Gott des Weins plötzlich die leeren Fässer füllt – der taumelt von Gemach zu Gemach, der berauscht sich im Becher der Freude, teilt unbesonnen mit vollen Händen aus und blendet, weil er ist geblendet. Ein solcher Emporkömmling war Jean Paul; er hatte von seinem Volke nicht geerbt. Der Himmel schenkte ihm seine Gunst; das Glück stürzte gutgelaunt sein Füllhorn um und überschüttete ihn mit Blumen und Früchten; die Erde gab ihm ihre

verborgenen Schätze. Er sah und zeigte sie gerne! Doch war der
Neid der Mitlebenden belächelt, darüber lachen froh die Erben.
Gold bleibt Gold, auch in der Erzstufe, nur von wenigen erkannt,
und die Fassung der Edelsteine erhöht ihren Preis, nicht ihren
Wert.

So war Jean Paul! – Fragt ihr: wo er geboren, wo er gelebt, wo
seine Asche ruhe? Vom Himmel ist er gekommen, auf der Erde
hat er gewohnt, unser Herz ist sein Grab. Wollt ihr hören von den
Tagen seiner Kindheit, von den Träumen seiner Jugend, von seinen männlichen Jahren? Fragt den Knaben Gustav; fragt den
Jüngling Albano und den wackern Schoppe. Sucht ihr seine
Hoffnungen? Im Kampanertale findet ihr sie. Kein Held, kein
Dichter hat von seinem Leben so treue Kunde aufgezeichnet, als
Jean Paul es getan. Der Geist ist entschwunden, das Wort ist geblieben! Er ist zurückgekehrt in seine Heimat; und in welchem
Himmel er auch wandere, auf welchem Sterne er auch wohne, er
wird in seiner Verklärung seine traute Erde nicht vergessen, nicht
seine lieben Menschen, die mit ihm gespielt und geweint und ge-
liebt und geduldet wie er.

Die Ahnfrau
Trauerspiel von Grillparzer
(1818)

> O Dank, Dank diesen freundlich grünen Bäumen,
> Die meines Kerkers Mauern mir verstecken!
> Ich will mich frei und glücklich träumen.
> Warum aus meinem süßen Wahn mich wecken?

Diese Worte der Königin Maria, könnte man sie nicht dem Dichter zuwenden, der von den Mauern, zwischen welchen der
menschliche Wille gefangen sitzt, alle Blüten und Täuschungen
wegzieht, die sie verhängen, und dem erschrocknen Blicke die
steile, kalte Notwendigkeit zur Anschauung gibt? Warum aus unserm süßen Wahn uns wecken? – Sooft das Schicksal mit der zer-
malmenden Keule als Sieger die Bühne verläßt, so oft ist auch die
dramatische Kunst von ihrer Bestimmung abgewichen, und der
Tempel der Freude hat sich in einen Tempel des Gottesdienstes
umgewandelt. Dort mag es frommen, daß der Mensch, der in seinem Übermute sich ungebunden wähnt, die ewige Weltordnung,

die ihn unauflöslich kettet, verehren lerne. Dort mag es gut sein, daß dem vom Gefühle der Vergänglichkeit gepreßten Herzen der allgemeine Blutlauf der Dinge, dem es folgen *muß*, aufgezeigt und ihm für den Verlust seiner Freiheit die Unsterblichkeit geboten werde. Aber wo der Mensch sich menschlich freuen soll, da muß er wie ein Vogel hoch in den Lüften schweben, die unter seinen Füßen liegende schmutzige Notwendigkeit aus den Augen verlieren und es zu vergessen suchen, daß sie ihn endlich dennoch anziehen werde. Daß die Tragödiendichter der alten und der neuen Zeit dies so oft nicht beachtet und den Menschen als Sklaven des Geschickes dargestellt hatten, eben daraus wird kund, wie der gottesdienstliche Ursprung der dramatischen Kunst in ihren Werken sich herabgeerbt habe, und dann, als solche Schicksalstragödien dennoch eine Art schmerzlicher Lust gewähren, zeigt uns, wie es gleichviel sei, ob eine rauhe oder eine sanfte Hand die Saiten des Herzens berühre – nur daß sie bewegt werden und tönen. Wird nun zwar verstattet, daß der Dichter den Menschen der Macht des Schicksals unterwerfe, so darf dies doch nur in einem Kampfe der sittlichen Freiheit gegen die *sittliche* Notwendigkeit, nicht in einem Widerstreite jener gegen die Notwendigkeit der *Naturgesetze* dargestellt werden. Es mag die eigne Lust in der *allgemeinen* Seligkeit untergehen, nie aber darf das besondere Leben dem gemeinschaftlichen *Tode* hingeopfert werden. Dies ist in der *Ahnfrau* geschehen, und das ist ihre Fehlerhaftigkeit.

Wenn ein Mensch, unzufrieden mit der Mitgift des Glückes, die ihm zuteil geworden, sich die Freuden anderer räuberisch anmaßt und das waltende Geschick endlichen Freiheit der Gemeinschaft aufgeopfert wird. Wo bestraft, dann zeigt sich hier die Regel der Weltordnung, nach welcher die sittliche Freiheit des einzelnen der sittlichen Freiheit der Gemeinschaft aufgeopfert wird. Wo aber der Enkel die Schulden seiner Voreltern bezahlen und für ihre Sünden büßen soll, wo die Nachkommen als leibeigne Glieder des Familienhauptes, dessen Bewegung sie folgen, angesehen werden; wo das verbrecherische Blut der Ahnen durch die ganze Reihe der Geschlechter fließt und sie versauert, bis endlich die Ader durchgefressen ist und die Schuld, die Buße und das Leben in einem großen Morde ausströmen; – wenn dem Schicksalskampfe ein solcher Ausgang gegeben wird, wie in der *Ahnfrau* es geschehen, da hat der Dichter nicht die gerechte Vorsehung, sondern die blinde Naturkraft siegen lassen, und dieser Streit zwischen sittlicher Freiheit und massiver Notwendigkeit, als zwischen ungleichen Waffen, ist gemein und unkünstlerischen Stoffes. Wenn zwischen Aufgang und Untergang, zwischen Quelle und Ausfluß sich eine lange Zeit oder ein breiter Strom gelagert und wir mit unsern schwachen Sinnen das feine Gespinst, das Ursache und Wirkung aneinanderbindet, übersehen, dann schreckt uns endlich am Ziele die täglich, aber leise waltende Regel als *Schicksal* mit Donnerworten auf. Die Griechen verehrten und fürchteten das Fatum als eine tückische und rächende Macht, welche die Freuden der Menschen zerstöre und ihre Schwäche schonungslos bestrafe. Aber der *Christ* erkennt nur eine Allmacht voll Güte und versöhnlicher Liebe. Nicht weil die christliche Glaubenslehre die Verehrung eines blinden Geschickes *verbietet* (es gibt keinen Zwang für das Gemüt), sondern weil der Glaube der Christen ins Gefühl und Leben aufgenommen, kann das Fatum im Sinne der Alten nicht auf unsre Bühne gebracht werden. Wenn noch überdies, wie in der Ahnfrau, dieses so geschieht, daß eine abgeschmackte Puppe die Triebfeder des Ganzen wird, dann ist nicht allein das wahre Ziel der Tragödie, sondern auch der Weg zum gewählten falschen Ziele verfehlt.

Was Grillparzer in der Vorrede zu diesem Trauerspiele in der Absicht sagte, um sich gegen empfangene Beschuldigungen zu verteidigen, klagt ihn nur noch lauter an. »Der verstärkte Antrieb zum Bösen, der in dem angeerbten Blute liegen kann, hebt die Willensfreiheit und die moralische Zurechnung nicht auf.« Allein wenn dieses ist, dann hätte die Tugend, nicht das böse Geschick, als siegreich dargestellt werden sollen. Freiheit ist nur *vor* einer Tat; sobald sie geschehen, war sie notwendig. Eine verwirrende und trügerische Ansicht herrscht im Leben wie in der Kunst der Neuern. Die Bühne der Griechen war eine Schule der Weisheit: dort ward ihnen die Übermacht des Geschickes bekannt, sie traten erschüttert, aber nicht mit zerrissenen Gefühlen ins Leben zurück, und sie lernten mit dem ihnen gewordenen Teile der Freiheit sich begnügen. Die Bühne der Christen ist eine Schule der Torheit: die Tugend *soll* siegen und das Laster siegt. Ist der Wille frei und stark, warum unterliegt er? ist er schwach, warum wird die Schwäche als Sünde angerechnet?... Leidenschaften?... Ob wir diesen, ob wir unserem bösen Geschicke unterlagen, es war der nämliche Kampf – das Schicksal hat uns besiegt. Sobald ein Mensch mit sich selbst zerfällt, sobald es ihm an Kraft gebricht, eine Leidenschaft zu bekämpfen oder zu befriedigen, ist dieser sein feindlicher Teil zur Außenwelt übergetreten, hat sich mit der großen Notwendigkeit verbündet und führt so den Krieg gegen den schwachen Überrest der Selbständigkeit.

Das Gespenst, welches Grillparzer auf die Bühne gebracht, welchen dramatischen Zweck wollte er damit erreichen? Sollte das übermächtige Einwirken irgendeines geistigen Daseins hierdurch fühlbar gemacht werden, wozu diese sinnliche Einkleidung, worüber Kinder erschrecken und Erwachsene lachen? Sollte das Fieberbild einer erkrankten Einbildungskraft, vom Aberglauben vorgegaukelt, dargestellt werden, dann hätte eben, um den Ursprung solcher Erscheinungen zu erklären, das Gespenst nicht den Blicken des kalten Zuschauers sichtbar gemacht, sondern nur durch Worte und Gebärden des geängstigten Geistersehers verraten werden dürfen, welche Erscheinung ihm vorschwebte.——

Vorgehende, gegen die Tragödie gerichtete Bemerkungen sollten nur andeuten, welche Verwirrung in der Ansicht der dramatischen Kunst der Neuern herrsche, nicht den herrlichen und geistreichen Dichter sollten sie treffen. Gäbe es nur eine größere Zahl solcher dramatischen Dichtungen, daß wir endlich der jämmerlichen Familiengeschichten ledig würden, die wie Wanzen sich in alle Ritzen der Bühnenbretter eingenistet haben, gar nicht zu vertreiben sind und uns zur Verzweiflung bringen.

*Herr *** vom Leipziger Theater spielte als Gast den Jaromir und gab uns einen seltenen, ja seltenen Genuß. *Das ist Kunst!* ruft die aus dem Schlafe geweckte Erwartung verwundernd aus. Es gehört ein ungemeiner Reichtum künstlerischer Hilfen dazu, und es wird eine nicht geringe Kraft erfordert, um in dieser Rolle nicht unterzugehen. Dem Schauspieler wird durch die ganze Handlung nicht ein Augenblick der Ruhe vergönnt, mit gleich starker Leidenschaftlichkeit betritt und verläßt er die Bühne, und er findet keine Zeit, sich für die entscheidenden Momente zu sammeln. Den Kampf auf Tod und Leben seiner Gefühle gab uns Herr *** mit ergreifender Wahrheit. Dieses Feuer, diese unauslöschliche Glut der Leidenschaft mußte Jaromir fühlbar machen, um in dem Herzen des Zuhörers für seine Verbrechen Erbarmen zu finden. Der *kalte*, besonnene Bösewicht bliebe ein Gegenstand des Hasses und Ekels. Herr *** zeigte im Vortrage der oft gesangartigen Verse eine große Mannigfaltigkeit einschmeichelnder und stets angemessener Modulationen der Stimme. Sein Gebärdenspiel war manchmal zu reich. Nur die *großen* Bewegungen des Herzens müssen sich kundtun, doch darf nicht jeder Pulsschlag der Empfindung durch Zeichen sich kenntlich machen wollen.*

Briefe aus Paris

Hundertneunter Brief

Paris, Montag, den 25. Februar 1833

Soll ich über Heines *Französische Zustände* ein vernünftig Wort versuchen? Ich wage es nicht. Das fliegenartige Mißbehagen, das mir beim Lesen des Buches um den Kopf summte und sich bald auf diese, bald auf jene Empfindung setzte, hat mich so ärgerlich gestimmt, daß ich mich nicht verbürgen kann – ich sage nicht für die Richtigkeit meines Urteils, denn solche anmaßliche Bürgschaft übernehme ich nie – sondern nicht einmal für die Aufrichtigkeit meines Urteils. Dabei bin ich aber besonnen genug geblieben, um zu vermuten, daß diese Verstimmung meine, nicht Heines Schuld ist. Wer so große Geheimnisse wie er besitzt, als wie: in der dreihundertjährigen Unmenschlichkeit der österreichischen Politik eine erhabene Ausdauer zu finden, und in dem Könige von Bayern einen der *edelsten und geistreichsten Fürsten, die je einen Thron geziert*; den König der Franzosen, als hätte er das kalte Fieber, an dem einen Tage für gut, an dem andern für schlecht, am dritten wieder für gut, am vierten wieder für schlecht zu erklären; wer es *kühn* und *großartig* findet, daß die Herren von Rothschild während der Cholera ruhig in Paris geblieben, aber die unbezahlten Mühen der deutschen Patrioten lächerlich findet; und wer bei aller dieser Weichmütigkeit sich selbst noch für einen *gefesteten* Mann hält – wer so große Geheimnisse besitzt, der mag noch größere haben, die das Rätselhafte seines Buches erklären; ich aber kenne sie nicht. Ich kann mich nicht bloß in das Denken und Fühlen jedes andern, sondern auch in sein Blut und seine Nerven versetzen, mich an die Quellen aller seiner Gesinnungen und Gefühle stellen und ihrem Laufe nachgehen mit unermüdlicher Geduld. Doch muß ich dabei mein eigenes Wesen nicht aufzuopfern haben, sondern nur zu beseitigen auf eine Weile. Ich kann Nachsicht haben mit Kinderspielen, Nachsicht mit den Leidenschaften eines Jünglings. Wenn aber an einem Tage des blutigsten Kampfes ein Knabe, der auf dem Schlachtfelde nach

Schmetterlingen jagt, mir zwischen die Beine kömmt; wenn an einem Tage der höchsten Not, wo wir heiß zu Gott beten, ein junger Geck uns zur Seite in der Kirche nichts sieht als die schönen Mädchen und mit ihnen liebäugelt und flüstert – so darf uns das, unbeschadet unserer Philosophie und Menschlichkeit, wohl ärgerlich machen.

Heine ist ein Künstler, ein Dichter, und zur allgemeinsten Anerkennung fehlt ihm nur noch seine eigne. Weil er oft noch etwas anders sein will als ein Dichter, verliert er sich oft. Wem, wie ihm, die Form das Höchste ist, dem muß sie auch das Einzige bleiben; denn sobald er den Rand übersteigt, fließt er ins Schrankenlose hinab, und es trinkt ihn der Sand. Wer die Kunst als seine Gottheit verehrt und je nach Laune auch manches Gebet an die Natur richtet, der frevelt gegen Kunst und Natur zugleich. Heine bettelt der Natur ihren Nektar und Blütenstaub ab und baut mit bildendem Wachse der Kunst ihre Zellen. Aber er bildet die Zelle nicht, daß sie den Honig bewahre, sondern sammelt den Honig, damit die Zelle auszufüllen. Darum rührt er auch nicht, wenn er weint; denn man weiß, daß er mit den Tränen nur seine Nelkenbeete begießt. Darum überzeugt er nicht, wenn er auch die Wahrheit spricht; denn man weiß, daß er an der Wahrheit nur das Schöne liebt. Aber die Wahrheit ist nicht immer schön, sie bleibt es nicht immer. Es dauert lange, bis sie in Blüte kömmt, und sie muß verblühen, ehe sie Früchte trägt. Heine würde die deutsche Freiheit anbeten, wenn sie in voller Blüte stände; da sie aber wegen des rauhen Winters mit Mist bedeckt ist, erkennt er sie nicht und verachtet sie. Mit welcher schönen Begeisterung hat er nicht von dem Kampfe der Republikaner in der St. Méry-Kirche und von ihrem Heldentode gesprochen! Es war ein glücklicher Kampf, es war ihnen vergönnt, den schönen Trotz gegen die Tyrannei zu zeigen und den schönen Tod für die Freiheit zu sterben. Wäre der Kampf nicht schön gewesen, und dazu hätte es nur einer andern Örtlichkeit bedurft, wo man die Republikaner hätte zerstreuen und fangen können – hätte sich Heine über sie lustig gemacht. Was Brutus getan, würde Heine verherrlichen, so schön er nur vermag; würde aber ein Schneider den blutigen Dolch aus dem Herzen einer entehrten jungen Nähterin ziehen, die gar Bärbelchen hieße, und damit die dummträgen Bürger zu ihrer Selbstbefreiung stacheln – er lachte darüber. Man versetze Heine in das *Ballhaus*, zu jener denkwürdigen Stunde, wo Frankreich aus seinem tausendjährigen Schlafe erwachte und schwur, es wolle nicht mehr träumen – er wäre der tollheißeste Jakobiner, der wütendste Feind der Aristokraten und ließe alle Edelleute und Fürsten mit Wonne an einem Tage niedermetzeln. Aber sähe er aus der Rocktasche des feuerspeienden Mirabeau auf deutsche Studentenart eine Tabakspfeife mit rot-schwarz-goldener Quaste hervorragen – dann pfui Freiheit! und er ginge hin und machte schöne Verse auf Marie-Antoinettens schöne Augen. Wenn er in seinem Buche die heilige Würde des Absolutismus preist, so geschah es, außer daß es eine Redeübung war, die sich an dem Tollsten versuchte, nicht darum, weil er *politisch reinen Herzens* ist, wie er sagt; sondern er tat es, weil er *atemreines Mundes* bleiben möchte und er wohl an jenem Tage, als er das schrieb, einen deutschen Liberalen Sauerkraut mit Bratwurst essen gesehen.

Wie kann man je dem glauben, der selbst nichts glaubt? Heine schämt sich so sehr, etwas zu glauben, daß er Gott den »*Herrn*« mit lauter Initialbuchstaben drucken läßt, um anzuzeigen, daß es ein Kunstausdruck sei, den er nicht zu verantworten habe. Den verzärtelten Heine bei seiner sybaritischen Natur kann das Fallen eines Rosenblattes im Schlafe stören; wie sollte er behaglich auf der Freiheit ruhen, die so knorrig ist? Er bleibe fern von ihr. Wen jede Unebenheit ermüdet, wen jeder Widerspruch verwirrt macht, der gehe nicht, denke nicht, lege sich in sein Bett und schließe die Augen. Wo gibt es denn eine Wahrheit, in der nicht etwas Lüge wäre? Wo eine Schönheit, die nicht ihre Flecken hätte? Wo ein Erhabenes, dem nicht eine Lächerlichkeit zur Seite stünde? Die Natur dichtet selten und reimet niemals; wem ihre Prosa und ihre Ungereimtheiten nicht behagen, der wende sich zur Poesie. Die Natur regiert republikanisch; sie läßt jedem Dinge seinen Willen bis zur Reife der Missetat und straft dann erst. Wer schwache Nerven hat und Gefahren scheut, der diene der Kunst, der absoluten, die jeden rauhen Gedanken ausstreicht, ehe er zur Tat wird, und an jeder Tat feilt, bis sie zu schmächtig wird zur Missetat.

Heine hat in meinen Augen so großen Wert, daß es ihm nicht immer gelingen wird, sich zu überschätzen. Also nicht die Selbstüberschätzung mache ich ihm zum Vorwurfe, sondern daß er überhaupt die Wirksamkeit einzelner Menschen überschätzt, ob er es zwar in seinem eigenen Buche so klar und schön dargetan, daß heute die Individuen nichts mehr gelten, daß selbst Voltaire und Rousseau von keiner Bedeutung wären, weil jetzt die Chöre handelten und die Personen sprächen. Was sind wir denn, wenn wir viel sind? Nichts als die Herolde des Volks. Wenn wir verkünden und mit lauter vernehmlicher Stimme, was uns, jedem von seiner Partei, aufgetragen, werden wir gelobt und belohnt; wenn wir unvernehmlich sprechen oder gar verräterisch eine falsche Botschaft bringen, werden wir getadelt und gezüchtigt. Das vergißt aber Heine, und weil er glaubt, er, wie mancher andere auch, könnte eine Partei zugrunde richten oder ihr aufhelfen, hält er sich für wichtig; sieht umher, wem er gefalle, wem nicht; träumt von Freunden und Feinden, und weil er nicht weiß, wo er geht und wohin er will, weiß er weder, wo seine Freunde noch wo seine Feinde stehen, sucht sie bald hier, bald dort und weiß sie weder hier noch dort zu finden. Uns andern miserabeln Menschen hat die Natur zum Glücke nur einen Rücken gegeben, so daß wir die Schläge des Schicksals nur von einer Seite fürchten; der arme Heine aber hat zwei Rücken, er fürchtet die Schläge der Aristokraten und die Schläge der Demokraten, und um beiden auszuweichen, muß er zugleich vorwärts und rückwärts gehen.

Um den Demokraten zu gefallen, sagt Heine: die jesuitisch-aristokratische Partei in Deutschland verleumde und verfolge ihn, weil er dem Absolutismus kühn die Stirne biete. Dann, um den Aristokraten zu gefallen, sagt er: er habe dem Jakobinismus kühn die Stirne geboten; er sei ein guter Royalist und werde ewig monarchisch gesinnt bleiben; in einem Pariser Putzladen, wo er vorigen Sommer bekannt war, sei er unter den acht Putzmachermädchen mit ihren acht Liebhabern – alle sechzehn von höchst gefährlicher republikanischer Gesinnung – der einzige Royalist gewesen, und darum stünden ihm die Demokraten nach dem Leben. Ganz wörtlich sagt er: »Ich bin, bei Gott! kein Republikaner, ich weiß, *wenn die Republikaner siegen, so schneiden sie mir die Kehle ab*.« Ferner: »Wenn die Insurrektion vom 5. Juni nicht scheiterte, wäre es ihnen leicht gelungen, *mir den Tod zu bereiten, den sie mir zugedacht:* Ich verzeihe ihnen gerne diese Narrheit.« *Ich* nicht. Republikaner, die solche Narren wären, daß sie Heine glaubten aus dem Wege räumen zu müssen, um ihr Ziel zu erreichen, die gehörten in das Tollhaus.

Auf diese Weise glaubt Heine bald dem Absolutismus, bald dem Jakobinismus *kühn die Stirne zu bieten*. Wie man aber einem Feinde die Stirne bieten kann, indem man sich von ihm abwendet, das begreife ich nicht. Jetzt wird zur Wiedervergeltung der Jako-binismus durch eine gleiche Wendung auch Heine kühn die Stirne bieten. Dann sind sie quitt, und so hart sie auch aufeinandersto-ßen mögen, können sie sich nie sehr wehe tun. Diese weiche Art, Krieg zu führen, ist sehr löblich, und an einem blasenden Herol-de, die Heldentaten zu verkünden, kann es keiner der kämpfen-den Stirnen in diesem Falle fehlen.

Gab es je einen Menschen, den die Natur bestimmt hat, ein ehr-licher Mann zu sein, so ist es Heine, und auf diesem Wege könnte er sein Glück machen. Er kann keine fünf Minuten, keine zwanzig Zeilen heucheln, keinen Tag, keinen halben Bogen lügen. Wenn es eine Krone gälte, er kann kein Lächeln, keinen Spott, keinen Witz unterdrücken, und wenn er, sein eignes Wesen verkennend, doch lügt, doch heuchelt, ernsthaft scheint, wo er lachen, demü-tig, wo er spotten möchte: so merkt es jeder gleich, und er hat von solcher Verstellung nur den Vorwurf, nicht den Gewinn. Er ge-fällt sich, den *Jesuiten des Liberalismus* zu spielen. Ich habe es schon einmal gesagt, daß dieses Spiel der guten Sache nützen kann; aber weil es eine einträgliche Rolle ist, darf sie kein ehrli-cher Mann selbst übernehmen, sondern muß sie andern überlas-sen. So, seiner bessern Natur zum Spotte, findet Heine seine Freude daran, zu diplomatisieren und seine Zähne zum Gefäng-nisgitter seiner Gedanken zu machen, hinter welchem sie jeder ganz deutlich sieht und dabei lacht. Denn es zu verbergen, daß er etwas zu verbergen habe, so weit bringt er es in der Verstellung nie. Wenn ihn der Graf Moltke in einen Federkrieg über den Adel zu verwickeln sucht, bittet er ihn, es zu unterlassen; »denn es schien mir gerade damals bedenklich, in meiner gewöhnlichen Weise ein Thema öffentlich zu erörtern, das die Tagesleidenschaft so furchtbar ansprechen müßte«. Diese Tagesleidenschaft gegen den Adel, die schon funfzigmal dreihundertfünfundsechzig Tage dauert, könnte weder Herr von Moltke noch Heine noch sonst ei-ner noch furchtbarer machen, als sie schon ist. Um von etwas warm zu sprechen, soll man also warten, bis die Leidenschaft, der er Nahrung geben kann, gedämpft ist, um sie dann von neuem zu entzünden? Das ist freilich die Weisheit der Diplomaten. Heine glaubt etwas zu wissen, das Lafayette gegen die Beschuldigung der Teilnahme an der Juniinsurrektion verteidigen kann; aber »*eine leicht begreifliche Diskretion*« hält ihn ab, sich deutlich aus-zusprechen. Wenn Heine auf diesem Wege Minister wird, dann will ich verdammt sein, sein geheimer Sekretär zu werden und ihn von Morgen bis Abend anzusehen, ohne zu lachen.

Coopers Romane
(1825)

Es sind jetzt dreißig Jahre, daß der Kaufmannssohn Wilhelm Meister mit einigen Edelleuten auf vertrautem Fuße gelebt, ja es erreicht, eine Gräfin und ihre Brillanten an sein bürgerliches Herz zu drücken. Wie waren wir damals so hoffnungsfroh, die Deutschen würden ihr Glück machen und es weit bringen im Leben und in Romanen. Aber was sind unsere Hoffnungen, was ist aus all der Herrlichkeit geworden? Der Lehrbrief, den der junge Meister aus den Lilienhänden der schönen Erfahrung empfing, war auf Seidenpapier geschrieben, verduftete und verwelkte wie eine Blume und ließ nichts zurück als dürre Blätter, die unter den Fingern zerstäuben. Wenn Goethes Grundsatz wahr ist: der Held eines Romanes müsse sich sehr leidend verhalten, müsse sich alles gefallen lassen und dürfe nicht mucksen – warum haben wir denn keine guten Romane, da wir doch alle geborne Romanenhelden sind? Wir haben keine, *weil* der Grundsatz wahr ist. Um etwas zu erfahren, muß man etwas tun; wir müssen gehen, daß uns etwas begegne. Wir einregistrierten Menschen aber, wir Hochgebornen, Hochwohlgebornen, Wohlgebornen, Edelgebornen und dienstgebornen Menschen, welchen das Herz klopft, so oft wir an eine fremde Türe klopften; wir in unserem Gefach-Leben verlassen nie den Stand und die Zunft, in welchen die Wiege unserer Eltern gestanden und Stände und Zünfte sind zwar größere Familien, aber auch lauere, unerquicklichere, und sie sind unkünstlerischen Stoffes. Weil wir unseren Lebenskreis nicht überschreiten, erfahren wir auch nicht, was sich innerhalb des Kreises begibt; denn man muß andere kennen lernen, sich selbst zu kennen. Die Eilwagen, auf welchen doch manchmal ein armer Schelm von Dichter mit reichen und vornehmen Herren zusammentrifft, werden auf die Romanenliteratur vorteilhaften Einfluß haben; aber sie sind noch zu neu, diese Postmusen sind noch zu jung, und immer noch ist zu fürchten, daß die Botanibaier Spitzbuben früher gute Romane schreiben werden als die ehrlichen Deutschen. Wir haben keine Geschichte, kein Klima, keine Volksgeselligkeit, keinen Markt des Lebens, keinen Herd des Vaterlandes, keinen Großhandel, keine Seefahrt, und wir haben – keine Freiheit zu sagen, was wir noch mehr nicht haben. Woher Romane? Uns Kleinen begegnet nichts Großes, und was den Großen begegnet, und sei es noch so klein, bringen wir in die Weltgeschichte. Daher Demut im Leben und Wehmut in Romanen.

Kaiser Augustus der Schelm sagte, als er einst bei Tische zwischen dem tiefäugigen Horaz und dem engbrüstigen Virgil gesessen: da sitze ich zwischen Tränen und Seufzern. Ganz so kaiserlich speisen wir auch, so oft wir deutsche Romane lesen. Rote Augen, kurzer Atem und unheilbare Herzpolypen. Alle die herumziehenden Schmerzen rheumatischer Seelen! Der Tod so weinerlich und das Leben ohne Lachen. Heimweh nach dem Himmel weil fremd auf der Erde.; Liebe zu Gott, aus Furcht vor Menschen. Ernsthaftigkeit ohne Ernst und Spaß ohne Spaßhaftigkeit. Und die *Faust*wehen, die Künstlerwehen und alle die Bergwehen und lächerlichen Geburten! Welche Anstalten, welche Zurüstungen, es herauszustellen, daß ein schlapper Wilhelm nicht bei Troste gewesen! Und eine Männerwelt sitzt kindisch auf niedriger Schulbank und buchstabiert jedes Wort ihres Meisters plärrend nach. Und gar die Liebeswehen! Ein deutscher Jüngling weint zehnmal mehr über bare, handschriftliche und gedruckte Leiden als ein junger Franzose oder Engländer. Wie sollte er nicht? Er, ein Kreidling der Bürgerlichkeit, enterbter Sohn einer reichen Geschichte, was hätte er zu tun, ehe er Referendär wird, und ist er es geworden, was hat er zu denken? Er ist unglücklich zum Zeitvertreibe. Nichts ist ihm geblieben als die Jugend, die man ihm nicht rauben konnte; aber die Jugend ist ein Verbrechen und das Alter ein Verdienst. Kein anderer Jubel als Dienstjubel. Sind sie recht alt, mager und zähe geworden, dann spickt man sie mit Nadeln für das Nachtessen der Würmer und umflechtet sie mit der Petersilie deutsch-vaterländischen Ruhms. Adlige Dichter sind herablassend und dichten Lieder auf bürgerliche Rentmeister; die Glocken läuten, die Türmer blasen, die Gassenbuben jubeln, im Deckelglase grinst saurer Wein, die Ämter sind gerührt, und der Jubelgreis, den Henkeltaler auf der Brust, weint Freudentränen und stirbt am Wonneschlag. Pfui! lieber eine alte Maus sein als solch ein Jubelgreis, und – woher, woher Romane? *Eine Million für einen Roman!* Bemüht euch, zappelt, rennt – ihr bringt so wenig einen Roman zustande, als ich die Million herbeischaffe. Doch was liegt daran? Es gibt nichts Lächerlicheres als volkstümliche Gefühle, es ist nichts kindischer als Vaterlandsliebe. Die ganze Menschheit ist *ein* Volk, die ganze Erde ist *ein* Land; Gaben, Mühen und Genüsse sind verteilt – die Engländer *schreiben* Romane, und wir *lesen* sie.

Ja, wenn es bloß die Engländer wären! man kann viel weniger sein als die, und immer noch viel. Daß aber selbst die Amerikaner es uns zuvorgetan, so ein junges Volk, das kaum die schwäbische Reife erlangt, das beschämt, das entmutigt. Washington Irving, Cooper und noch andere! Wäre Cooper ein ausgezeichneter Künstler, wie Walter Scott es ist, das möchte uns beruhigen. Denn der große Genius bedarf keines Wachstums, keiner Entwicklung, er springt reif und vollendet hervor. Er bedarf keiner Gunst des Himmels noch der Menschen, er braucht keine Sonne, keine Aufmunterung. Er häuft nicht verdienten auf verdienten Lohn; die volle Bewunderung wird ihm auf einmal ausbezahlt. Solch ein Genius aber ist Cooper nicht. Manche Deutsche kommen ihm gleich an Kunstfertigkeit; er hat nur vor ihnen voraus, daß er ein Amerikaner ist – versteht ihr? daß er ein Amerikaner ist. Das haben auch die deutschen Übersetzer seiner Romane gefühlt, und sie haben darum auf dem Titelblatte dem Namen Cooper das Beiwort Amerikaner vorgesetzt. Es ist ein Titel wie ein anderer, wie Doktor, wie Hofrat. Ja, hätten sie geschrieben: »Seine Exzellenz, der Herr Amerikaner Freiherr von Cooper« – man hätte es gern gelesen und haßte man auch noch so sehr die Titel. Ein Freiherr ist er gewiß, und die Exzellenz gebührt ihm wohl. Cooper und Walter Scott – der erstere steht so weit über dem andern in sittlicher Beziehung, als er in künstlerischer unter ihm steht. *Scott* ist ein *Tory*, und wäre er das nicht, wäre er der große Dichter nicht. Die wahren Dichter, wie alle großen Künstler, lieben das Gewordene, das Seiende, das Notwendige, das Unbewegliche, das dem Meißel still hält; sie lieben daher den *Zwang* als den Erhalter des Bestehenden. Darum hassen sie das Werdende, das Bewegliche, das Schwankende, das Strebende und das Widerstrebende, denn sie hassen den Kampf; darum hassen sie die Freiheit. Man sage nicht, Walter Scott wäre unparteiisch. Er ist es freilich, sobald er einmal den Gegenstand der Darstellung gewählt; ihm liebe Verhältnisse und Menschen verschönt er nicht ungebührlich, ihm widrige verhäßlicht er nicht. Aber er ist parteiisch in der *Wahl* der Gegenstände, und wo er der Freiheit huldigt, da verehrt er nur den Sieg und die Gewalt, nicht den Kampf und das Recht der Freiheit, Cooper aber – ist ein Amerikaner.

In Coopers Romanen handeln frische, jungfräuliche Menschen frisch und jungfräulich. wie ihre Natur es ist. Sie haben ihre Schwächen und Laster, wie wir auch; aber die Krankheiten der Seelenleidenden sind kenntlichen Ausdrucks und geregelten Ganges, nicht wie bei uns getrübt und verworren durch einfließende Nervenschwäche und Romantik. Ihre Lebensverhältnisse sind klar und heiter, nicht als atmeten sie in Rosenschimmer unvergänglicher Freuden; sie kennen den Schmerz wie wir; aber Lust und Trauer, Licht und Finsternis sind geschieden, und Tag und Nacht liegen nicht immer im Streite, *Tohu Wabohu* wie in unsern Romanen. Darum werden dem Leser gesunde Rührungen, die aus reinem Herzen quillen, die nicht aus morschen Tränenfisteln sickern. Dort sind die Bürger ihrer Rechte klar, ihrer Pflichten sich froh bewußt; denn ihre Pflichten sind auch ihre Rechte. Das Gesetz des Bürgers und des Staates ist dort blank, stark geprägt und scharf gerändert, wie es aus der Münze der Natur gekommen; nicht beschmutzt von den Händen bestochener Richter, nicht vergriffen und beschnitten von den tausend Fingern der hundert Schreiber, Advokaten und Mäkler des Rechts. Doch das wird der verständige Leser schon alles von selbst herausfinden, und ist er ein Freund – guter Bücher, wird er nicht ermangeln, die Romane Coopers nach Möglichkeit zu empfehlen.

Nachbemerkung

Nein, vergessen ist Ludwig Börne nicht. Aber der Literaturkritiker Börne wird nach wie vor einseitig gesehen und daher oft unterschätzt oder gar ignoriert. So schien es nicht überflüssig, aus seinem umfangreichen schriftstellerischen Werk einmal jene Arbeiten auszuwählen und in einem Taschenbuch zu präsentieren, die Art und Rolle der Börneschen Literaturkritik wohl am deutlichsten erkennbar machen.

Da der Band auf keinen Fall über die Grenzen eines Taschenbuches hinausgehen sollte, mußte sich der Herausgeber zu einer strengen Auswahl entschließen und auf manche aus diesem oder jenem Grunde bemerkenswerten Beispiele verzichten. Aufgenommen wurden nur diejenigen Aufsätze Börnes über Literatur, die noch heute (und bisweilen gerade heute) und nicht etwa nur aus historischen oder literarhistorischen Gründen Anspruch auf allgemeines Interesse erheben können.

Die ausgewählten Arbeiten sind hier in vier Gruppen eingeteilt. Die erste vereint die wichtigsten Äußerungen Börnes über Sprache und Stil, Literatur und Kritik. Die zweite Gruppe bietet zwei Shakespeare-Aufsätze – über »Hamlet« und über den Shylock. Die dritte Gruppe ist Börnes Auseinandersetzung mit Schiller und, vor allem, mit Goethe gewidmet. In der letzten Gruppe finden sich Kritiken über die großen Zeitgenossen Börnes: Kleist, E.T.A. Hoffmann und Jean Paul, Grillparzer und Heine. Hierzu gehört auch der Aufsatz über Cooper, in dem es weniger um diesen Amerikaner als um den deutschen Roman jener Jahre geht.

Der Abdruck der Texte Börnes erfolgt nach der umfangreichsten und zuverlässigsten Ausgabe seiner Werke: Ludwig Börne, »Sämtliche Schriften.« Neu bearbeitet und herausgegeben von Inge und Peter Rippmann. Joseph Melzer Verlag, Bde. 1–3, Düsseldorf 1964; Bde. 4 u. 5, Darmstadt 1968.

M.R.–R.

1786 24. Mai. Ludwig Börne als Sohn des »Handelsjuden in Wechselge-
schäften« Jakob Baruch in Frankfurt, Finstere Judengasse 118, geboren. Seine Eltern geben ihm den Namen Juda Löw Baruch.

1800 Geht als Schüler des Hezelschen Erziehungsinstituts nach Gießen.

1802 Wird in die Obhut von Marcus Herz und Lazarus Bendavid nach
Berlin gegeben. Liebe zu Henriette Herz.

1803 Besuch des Gymnasiums in Halle.

1804 Nimmt das Studium der Medizin in Halle auf. Hört außerdem bei
Steffens und Schleiermacher.

1807 Fortsetzung des Medizinstudiums in Heidelberg.

1808 Fortsetzung des Studiums in Gießen. Promoviert am 8. August auf
dem Gebiet der Kameralistik zum Dr. phil. mit den Abhandlungen
Von dem Gelde und *Über die geometrische Gestalt des Staatsgebie-
tes.* Kehrt dann nach Frankfurt zurück und verfaßt die Schrift *Frei-
mütige Bemerkungen über die neue Stättigkeits- und Schutzordnung
für die Judenschaft in Frankfurt am Main.*

1811 Wird am 23. November Aktuar beim Frankfurter   Oberpolizei-
direktorium.

1815 9. März. Entlassung aus dem Polizeidienst. Verfaßt die Schrift *Ak-
tenmäßige Darstellung des Bürgerrechts der Israeliten zu Frankfurt
am Main.*

1816 Schließt mit Jeanette Wohl einen lebenslänglichen Freundschafts-
bund.

1818 5. Juni. Übertritt zum Christentum in der Kirche des Pfarrers Ber-
tuch in Rödelheim. Gründet *Die Waage. Eine Zeitschrift für Bür-
gerleben, Wissenschaft und Kunst,* die in unregelmäßigen Abstän-
den bis 1821 erscheint.

1819 Redigiert vom Januar bis Juni die *Zeitung der Freien Stadt Frankfurt*, vom Juli bis Oktober die Zeitschrift *Die Zeitschwingen*. Bekommt Zensurschwierigkeiten und hält sich vorübergehend in Paris auf.

1822 Geht mit Jeanette Wohl für anderthalb Jahre nach Paris. Schreibt
in dieser Zeit die *Schilderungen aus Paris* für das Stuttgarter Mor-
genblatt.

1825 Wieder in Frankfurt. *Denkrede auf Jean Paul.*

1827 Tod des Vaters. Wird durch eine Erbschaft instand gesetzt, fortan
als freier Schriftsteller zu leben. Besuch Heines bei Börne in Frankfurt.

1828 Aufenthalt in Berlin.

1829 Börnes *Gesammelte Schriften* erscheinen in acht Bänden bei Campe in Hamburg.

1830 Kuraufenthalt in Soden. Nach Ausbruch der Julirevolution Übersiedlung nach Paris.

1831 *Briefe aus Paris*, erste Sammlung (48 Briefe).

1832 Teilnahme am Hambacher Fest. Jeanette Wohl heiratet den Frankfurter Kaufmann Salomo Strauss.

1833 Reise in die Schweiz. *Briefe aus Paris*, zweite Sammlung (31 Briefe).

1834 Studien zur Geschichte der Französischen Revolution. Übersetzt Lamennais' *Paroles d'un croyant. Briefe aus Paris*, dritte Sammlung (36 Briefe).

1836 Gründet in Paris die Zeitschrift *La Balance,* von der jedoch nur drei Nummern erscheinen.

1837 12. Februar. Tod. Die Schrift *Menzel, der Franzosenfresser* kommt postum heraus.

(Abdruck der Zeittafel mit freundlicher Genehmigung des Reclam Verlags, Stuttgart, aus: Ludwig Börne, Monographie der deutschen Postschnecke. Skizzen. Aufsätze, Reisebilder. Auswahl und Nachwort von Jost Hermand. Stuttgart 1967. Reclam Universal-Bibliothek.)

st 366 E. L. Doctorow, Das Buch Daniel. Roman
Aus dem Amerikanischen von Thomas Schlück
342 Seiten
Doctorow benutzt das historische Material eines skanda-
lösen Prozesses, in dem 1950 ein jüdisches Ehepaar wegen angeblichen Verrats des Atombombengeheimnisses an
die Sowjetunion auf dem elektrischen Stuhl hingerichtet
wurde, als Idee eines packenden, hochaktuellen Buches.
»Zwar hat es in der sogenannten Schönen Literatur an
gesellschaftskritischem Engagement der Autoren keinen
Mangel, aber nur ganz wenige Schriftsteller nehmen es
auf sich, die Politik ihres Landes, ihrer Regierung mit
all den vielfältigen Folgen für einzelne Bürger zum
Thema eines Romanes zu machen. Schon allein aus diesem Grund ist *Das Buch Daniel* des Amerikaners E. L.
Doctorow eine Rarität.«
Helmut M. Braem, Stuttgarter Zeitung

st 367 Stuart Gilbert, Das Rätsel Ulysses.
Eine Studie
Ins Deutsche übertragen von Georg Goyert
Für die Taschenbuchausgabe neu durchgesehen und mit
Zitaten aus der Frankfurter Joyce-Ausgabe
316 Seiten
Seit der ersten Auflage dieses aufklärenden Buches, das
noch unter Mitwirkung von Joyce geschrieben wurde,
gilt sein Autor als der gründlichste Kommentator des
Ulysses. Auf dem Hintergrund genauer Kenntnis sowohl
des Joyceschen Gesamtwerks als auch der wesentlichen

Literatur zu Joyce zeigt Gilbert Voraussetzungen, Zusammenhänge, Querverbindungen, Entsprechungen.
»Gilberts Analysen sind Orientierungshilfen für die Lektüre, überdies ausgezeichnete Hinweise für die Interpretation. Eine enorm wichtige Studie zu einem der wichtigsten Romane dieses Jahrhunderts.«

Aachener Nachrichten

st 368 Hermann Hesse, Die Verlobung.
Gesammelte Erzählungen. Band 2 1906–1908
Zusammengestellt von Volker Michels
390 Seiten
Der zweite Band dieser auf vier Bände angelegten Taschenbuchausgabe enthält Erzählungen aus Hesses Gaienhofener Jahren. Die übrigen drei Bände haben die Titel *Aus Kinderzeiten*. Band 1 1900–1905 (st 347); *Der Europäer*. Band 3 1909–1918 (st 384); *Innen und Außen*. Band 4 1919–1955 (st 413).

st 369 Alexander Weissberg-Cybulski, Hexensabbat
Mit einem Vorwort von Arthur Koestler
382 Seiten
Die »Große Säuberung« 1936–1938 im Rußland Stalins mit ihren rund zehn Millionen Opfern war mehr als nur eine Episode in einem diktatorischen Regime. Daß dieses Buch kein Buch der Schrecken ist, ist dem Verfasser zu danken, dessen unverwüstlicher Optimismus und Mut seinen Bericht aus den russischen Gefängnissen in erstaunlichen Gegensatz zum schrillen Ton der üblichen Gefangenenliteratur stellt.

st 370 Alejo Carpentier, Explosion in der Kathedrale.
Roman
Aus dem Spanischen übersetzt von Hermann Stiehl
380 Seiten
Dieses Werk ist ein im besten Sinn traditionell geschriebener, im Tenor aber moderner historischer Roman: Sein indirekter Hinweis auf das Zeitgeschehen in Cuba ist unverkennbar. Sein Thema: die Begegnung verschiedener Kulturen beim Transport der Französischen Revolution und ihrer Freiheitsideen auf die Antillen, Perversion der Ziele durch den Widerstand von Menschen und Dingen. Dennoch hat, in ·dem scheinbar tödlichen Kreislauf der

Geschichte, Geschichte stattgefunden und die Explosion in der Kathedrale, die Revolution, ihre wandelnde Kraft bewiesen.

st 371 Siegfried Kracauer, Das Ornament der Masse. Essays
Mit einem Nachwort von Karsten Witte
356 Seiten
Eine Erkundung der »Exotik des Alltags, abenteuerlicher als eine Filmreise nach Afrika« nannte Kracauer 1929 seine Studie über die Angestellten. Diese Charakterisierung trifft auch auf die Essays zu, die in diesem Band versammelt sind, von denen viele in der »Frankfurter Zeitung« veröffentlicht wurden. Sie handeln von Straßen, Lokalen und Passanten, von Film und seinem Publikum, von Büchern, Gedanken und scheinbar ganz harmlosen Dingen, die erst unter Kracauers Blick zwielichtig werden, vertrackt und hintergründig.

st 372 Ernst Penzoldt, Die Powenzbande. Zoologie einer Familie
288 Seiten
»Ein lustiges Buch, *diese Powenzbande*«, schrieb Thomas Mann, »ein Schelmenstück, die kindlich-drollige Verschwörung kleiner sozialer Selbsthelfer gegen die ›Ordnung‹ und ihre grimmige Dummheitsmiene und also so ganz und gar harmlos nicht.«

st 374 Vision und Politik. Die Tagebücher Theodor Herzls
Auswahl und Nachwort von Gisela Brude-Firnau
344 Seiten
Herzls Tagebücher sind historischer Kommentar und intensive Selbstaussage. In seltener Synthese ergänzen sich hier Literatur und Politik, Gedanke und Handlung. Die Tagebücher zeigen, daß Herzls Forderung eines ethisch fundierten Staates, der Toleranz und jüdisch-arabische Koexistenz ermöglicht, die einzige Alternative war gegenüber der vorausgeahnten Apokalypse. Abgeschlossen wird der Band durch ein ausführliches Nachwort, das die historische und literarische Bedeutung der Tagebücher kommentiert, die Dreyfus-Legende widerlegt und für die erneute Beachtung Herzls als Schriftsteller plädiert.

st 375 Hermann Broch, Philosophische Schriften
Kommentierte Werkausgabe, herausgegeben von
Paul Michael Lützeler
Bd. 1 – Kritik, 314 Seiten
Bd. 2 – Theorie, 334 Seiten
Band 1 enthält Brochs Kulturkritik, seine Positivismus-Kritik und die Rezensionen. Die kulturkritischen Stellungnahmen reichen von den frühen, durch Schopenhauer und Nietzsche beeinflußten Aphorismen aus dem Jahre 1908 bis zu den Reflexionen über die philosophischen Aufgaben einer internationalen Universität von 1946. Die Studien zum Positivismus zeigen Broch in der Auseinandersetzung mit B. Russell, L. Wittgenstein und den Vertretern des Wiener Kreises während der 30er Jahre. Bei den Rezensionen handelt es sich um Besprechungen der Werke von M. Adler, E. Bloch, J.-P. Sartre, E. von Kahler u. a.
Band 2 enthält die Beiträge zur Wert- und Geschichtstheorie, die erstmals ein adäquates Bild von Brochs eigenständiger philosophischer Leistung in den 20er Jahren vermitteln. Sie werden ergänzt durch seine erkenntnistheoretischen Abhandlungen.

st 376 Das Gedicht. Eine Sammlung von Benno von Wiese
192 Seiten
»Sich Gedichten verweigern heißt, das Gespräch untereinander unterbrechen wollen.«   *Benno von Wiese*

st 377 Milan Kundera, Das Leben ist anderswo. Roman
Aus dem Tschechischen von Franz Peter Künzel
368 Seiten
Der Roman, 1973 in Frankreich erstveröffentlicht, ist die Geschichte des einzigen Sohnes einer Prager Bürgerstochter, die, von ihrem Mann enttäuscht, vom Sohn Jaromil Entschädigung verlangt: er soll der apollinisch vollkommene Dichter werden. »In Jaromil verkörpert sich ein tschechisches Schicksal der Mitte des 20. Jahrhunderts. Im Hintergrund scheinen die markanten historischen Ereignisse der Jahre 1938 und 1968 auf.«   *Berner Tagblatt*

st 378 Adolfo Bioy Casares, Fluchtplan. Roman
Aus dem Spanischen von Joachim A. Frank
136 Seiten

In diesem Roman ist die Insel ein Archipel mit Gefängnisanstalten (die Teufels- oder Salutinseln). Der Briefschreiber, der dorthin strafversetzte Leutnant Nevers, soll dem Gouverneur Castel zur Hand gehen. Tage verstreichen, ehe er Castel, über den sonderbare Gerüchte im Umlauf sind, kennenlernt. Eine der Inseln wird Nevers verboten. Er versucht, das Geheimnis zu lüften. Seine Briefe nach Hause, seine Tagebucheintragungen melden seine Erkundungen und Schlüsse, Ergebnisse, die er immer wieder berichtigen muß.

st 379 Christiane Rochefort, Das Ruhekissen. Roman
Aus dem Französischen von Ernst Sander
304 Seiten
Erzählt wird die Geschichte von Liebe und Hörigkeit einer Frau. Sie verfällt einem jungen, süchtigen Intellektuellen, der seine ganze Intelligenz nutzt, um diese Frau immer tiefer zu erniedrigen. Wie dann in der tiefsten Krise, in der beide zugrunde gehen müßten, die Idee des Lebens triumphiert, das gehört zu den erstaunlichen Wendungen dieses erstaunlichen Buches.

st 380 Hermann Hesse, Briefe an Freunde.
Rundbriefe 1946–1962
Zusammengestellt von Volker Michels
272 Seiten
Seit 1946, seit der Verleihung des Nobelpreises an Hermann Hesse, nahm der tägliche Posteingang an Leserbriefen solche Dimensionen an, daß Hesse einen Ausweg finden mußte, der es ihm ermöglichte, seinem Grundsatz treu zu bleiben und den Fragen nicht auszuweichen, ohne ihm doch die schriftstellerische Produktion zu opfern. So half er sich von 1946 bis zu seinem Lebensende mit einer neuen literarischen Gattung, seinen »Rundbriefen«, die es ihm erlaubten, sowohl auf die am häufigsten wiederkehrenden Leserfragen zu reagieren, zeitgenössische Bücher zu empfehlen als auch seine neuen Erlebnisse und Erfahrungen festzuhalten und zu gestalten.

st 381 Hermann Hesse, Die Gedichte. 2 Bände
Neu eingerichtet und um Gedichte aus dem Nachlaß erweitert von Volker Michels
zus. 842 Seiten

Mit mehr als 680 Gedichten ist dies die bisher vollstän-
digste Ausgabe der Lyrik Hesses. Die Gedichte sind in
zeitlicher Folge angeordnet. Beginnend mit dem frühesten Gedicht aus dem Jahre 1892 (Nachlese) und ergänzt
um die späten Gedichte, sowie erstmals um die wichtigsten humoristischen und zeitkritischen Gedichte aus
dem Nachlaß, ergeben diese Bände eine Art lyrischer
Autobiographie.

st 382 Hermann Hesse, Von Wesen und Herkunft des
Glasperlenspiels
Die vier Fassungen der Einleitung zum Glasperlenspiel
Herausgegeben und mit einem Essay versehen von
Volker Michels
134 Seiten
Wie sehr Hesses *Glasperlenspiel* eine Auseinandersetzung
und zeitkritische Antwort auf den immer hoffnungslose-
ren Irrweg Deutschlands in den Nationalsozialismus ist,
das wird am deutlichsten in den vier 1932–34 entstandenen und immer wieder revidierten Versionen der Einfüh-
rung in sein großes Alterswerk. Bereits der Text von
1932 ist nicht nur eine der dezidiertesten Kritiken des
Rassismus und aller »Blut und Boden«-Schwärmerei, sondern darüber hinaus eine unerbittliche Persiflage auf das
beamtete und nicht selten lohnabhängige konjunkturori-
entierte Hochschulsystem.

st 383 Hermann Hesse, Kurgast. Aufzeichnungen von
einer Badener Kur
112 Seiten
»Eine Badereise mit ihren tragikomischen Alltäglichkei-
ten wird dem Dichter zum Anlaß, das Zusammenleben
der Menschen in einer Folge von gutgelaunten, idylli-
schen philosophisch beschaulichen Szenen zu durchleuch-
ten. Mit Entzücken sieht der Leser durch den leben-
schaffenden Blick des Dichters in diesem Mikrokosmos
die Formenfülle und Merkwürdigkeit der Welt.«

Oskar Loerke

st 384 Hermann Hesse, Der Europäer.
Gesammelte Erzählungen. Band 3 1909–1918
Zusammengestellt von Volker Michels
372 Seiten

Der dritte Band dieser auf vier Bände angelegten Taschenbuchausgabe enthält Erzählungen aus Hesses letzten beiden Jahren am Bodensee, die mit der Indienreise ihren Abschluß fanden, sowie Erzählungen aus den Jahren bis 1918, der Zeitspanne vor und während des Ersten Weltkriegs, als er in Bern lebte. Die Jahre des Ersten Weltkriegs waren Hesses politische Lehrzeit. Damals sammelte er die Erfahrungen, ohne die sein unbestechlicher Vorausblick für die künftigen politischen Entwicklungen nicht möglich gewesen wäre.

st 385 Hugo Ball, Hermann Hesse. Sein Leben und sein Werk
186 Seiten
»Aus dem Konflikt von Zeit und Kultur gelingt Hugo Ball die Deutung manches großartigen Widerspruchs, den wohl der eine oder andere Leser der Hesseschen Bücher festzustellen meint: ›Wohl kaum hat Hesse ein Erlebnis bis zum Rest erschöpft und gedeutet, so wird ihm gerade dieses Erschöpfen zur Gefahr und wirft ihn in das andere Extrem.‹ Wie diese Deutung durchgeführt wird, das macht die Lektüre dieses eigenwilligen, klugen und lebensnahen Buches zu einem heute seltenen Genuß.«   *Hermann Kasack*

st 386 Hermann Hesses weltweite Wirkung.
Internationale Rezeptionsgeschichte
Herausgegeben von Martin Pfeifer
364 Seiten
Zum ersten Mal wird hier die Wirkung des Werkes dieses Autors in ihrem weltweiten Ausmaß untersucht und dargestellt. Es werden Entwicklungen und gegenwärtiger Stand der Hesserezeption unter ihrem verlegerischen und publizistischen Aspekt, die Qualität der Übersetzungen und die wissenschaftliche Auseinandersetzung mit Hesses Werk gezeigt und Antwort zu geben versucht auf die Frage nach den Leserschichten und deren Zusammensetzung, nach der Art des Literaturkonsums und nach den Auswirkungen der Hesselektüre.

st 387 Marie Luise Kaschnitz, Der alte Garten
Ein Märchen
190 Seiten

»Ein Buch, das nie aufhört Märchen zu sein, und das sich doch auch ganz anders lesen läßt. Dem Menschen wird eindringlich klargemacht, daß die Welt, in der er lebt, ihm nicht einfach zur Verfügung stehen kann, daß sie nicht nach seinem Gutdünken manipulierbar ist.«
Stuttgarter Zeitung

st 388 Robert Walser, Poetenleben
122 Seiten
Poetenleben ist eine Sammlung von 25 Kurzgeschichten, entlarvenden, doch mit schalkhafter Arglosigkeit vorgetragenen Episoden aus dem abenteuerlich unzeitgemäßen Alltag eines »Poeten«. Walser selbst hat das Buch als eines seiner geglücktesten und poesiereichsten bezeichnet und es seinem Verleger listig als eine »romantische Geschichte« empfohlen.

st 389 Bertrand Russell, Eroberung des Glücks
Neue Wege zu einer besseren Lebensgestaltung
Autorisierte Übersetzung von Magda Kahn
174 Seiten
Russell versammelt hier seine praktischen Überlegungen zu Glück und Unglück, Konkurrenz und Neid, Familie und Arbeit, u. a. Er wagt »zu hoffen, daß einige von den unzähligen Menschen, die ihr Unglück über sich ergehen lassen, ohne ihm etwas Gutes abgewinnen zu können, in den folgenden Blättern eine Diagnose ihres Zustandes finden werden und zugleich eine Anregung, wie sie ihm entrinnen können«.

st 390 Gore Vidal, Messias. Roman
Deutsch von Helga und Peter von Tramin
Phantastische Bibliothek Band 5
298 Seiten
Der Roman *Messias* schildert ganz unter Verzicht auf futuristische Requisiten eine abstoßende Zukunftswelt, in der die Menschen so manipuliert werden, daß sie einem lebensfeindlichen Glauben, zu dessen Opfern sie auserkoren sind, freiwillig ihre Zustimmung geben. Gemanagt von skrupellosen Werbeleuten, die die Entwicklung der neuen Religion so planen wie eine Werbekampagne für ein Waschmittel, wird der Todeskult zum Fanal, das die Welt verändert.

st 391 H. P. Lovecraft, Der Fall Charles Dexter Ward
Zwei Horrorgeschichten
Deutsch von Rudolf Hermstein
Mit einem Nachwort von Marek Wydmuch
Phantastische Bibliothek Band 8
246 Seiten
Die beiden Horrorgeschichten dieses Bandes gehören zum
Geschichtenzyklus des Cthulhu-Mythos und haben Neu-
england zum Schauplatz. Beide Geschichten haben einen
gemeinsamen Zug, der jeweilige Held ist – ohne es zunächst zu wissen – Nachkomme von Leuten, die sich mit
vormenschlichen lebensbedrohenden Mächten eingelassen
haben.
»Die vordergründige Erzählung des mit knapper Mühe
gebannten absoluten Grauens liest sich zugleich wie eine
Allegorie ..., die besagt, daß die Welt vielleicht auf nicht
ganz geheuren Fundamenten ruht, daß die Angst, das
Böse könnte einmal überhandnehmen, gar nicht so unbe-
gründet ist.«   *Jörg Drews*

st 392 Wolfgang Koeppen, Eine unglückliche Liebe
Roman
198 Seiten
»Der Roman eines Schriftstellers, der sich durch die Ori-
ginalität seiner Sprache, die Konsequenz seiner Psycho-
logie und die großartige dichterische Einseitigkeit seiner
Leidenschaft als Werk einer Persönlichkeit über zahllose
Neuerscheinungen hinaushebt; das ist Wolfgang Koep-
pens hinreißendes Buch ›Eine unglückliche Liebe‹.«
                              Kölnische Zeitung

st 395 Hans Magnus Enzensberger, Der kurze Sommer
der Anarchie
Buenaventura Durrutis Leben und Tod. Roman
Mit Abbildungen
336 Seiten
Die zwölf Kapitel des Romans handeln vom Leben und
vom Sterben des spanischen Metallarbeiters Durruti, der
nach einer militanten und abenteuerlichen Jugend zur
Schlüsselfigur der spanischen Revolution 1936 geworden
ist. Die Darstellung beruht auf zeitgenössischen Broschü-
ren, Flugblättern und Reportagen, auf Reden und Memoiren und auf Interviews mit Augenzeugen, die Durruti
gekannt haben.

st 396 Erich Heller, Die Wiederkehr der Unschuld und andere Essays
280 Seiten
Der titelgebende Essay kreist das Motiv ein, dem Hellers Denken in der Analyse der »drei Verwandlungen Zarathustras« nachgeht: das literarische Motiv der Anmut, der Grazie, der schwerelosen kindlichen Unschuld. Außerdem enthält der Band: »Modernität und Tradition: T. S. Eliot«, »Betrachtungen über ein Gedicht, über Heidegger und Hölderlin«, »Karl Kraus«, »Thomas Mann in Venedig«, »Psychoanalyse und Literatur«, »Vom Menschen, der sich schämt«, u. a.

st 413 Hermann Hesse, Innen und Außen.
Gesammelte Erzählungen. Band 4 1919–1955
Zusammengestellt von Volker Michels
432 Seiten
Der vierte und letzte Band der Erzählungen Hesses setzt ein nach dem ersten Weltkrieg und enthält alle seitdem parallel zu den großen erzählerischen Werken, »Siddhartha«, »Der Steppenwolf«, »Narziß und Goldmund«, »Die Morgenlandfahrt« und »Das Glasperlenspiel« entstandenen kürzeren Erzählungen.

st 415 Hermann Hesse, Die Welt der Bücher
Betrachtungen und Aufsätze zur Literatur
Zusammengestellt von Volker Michels
382 Seiten
Dieser Band versammelt erstmals sämtliche grundsätzlicheren Schriften Hesses zur Literatur, ergänzt um zahlreiche Stücke, die er selbst nicht in die Ausgabe seiner *Gesammelten Schriften* von 1957 aufgenommen hat und die folglich größtenteils auch in der Hesse-Werkausgabe von 1970 fehlen.
»Bücher sind nicht dazu da, lebensunfähigen Menschen ein wohlfeiles Trug- und Ersatzleben zu liefern. Im Gegenteil, Bücher haben nur einen Wert, wenn sie zum Leben führen und dem Leben dienen und nützen, und jede Lesestunde ist vergeudet, aus der nicht ein Funken von Kraft, eine Ahnung von Verjüngung, ein Hauch neuer Frische sich für den Leser ergibt.«
Hermann Hesse